Effrayée...

Barbara Cartland est une romancière anglaise dont la réputation n'est plus à faire.

Ses romans variés et passionnants mêlent avec bonheur aventures et amour.

Vous retrouverez tous les titres disponibles dans le catalogue que vous remettra gratuitement votre libraire.

Barbara Cartland

Effrayée...

Traduit de l'anglais
par Christine de Chasteigner

Éditions J'ai lu

Titre original :

AFRAID

NOTE DE L'AUTEUR

L'obélisque de la place de la Concorde, cadeau du vice-roi d'Égypte, fut finalement érigé en octobre 1836, en présence de la famille royale et devant une foule de plus de deux cent mille spectateurs. Dressé entre deux fontaines, il est entouré de huit petits pavillons surmontés de statues représentant les principales villes de France.

Cet événement marqua le début de considérables travaux d'embellissement de la ville de Paris. L'année où se situe ce roman vit disparaître sous la pioche des démolisseurs de nombreux quartiers vétustes et insalubres.

Le roi Louis-Philippe fut surnommé le « roi épicier » ou encore le « roi bâtisseur ». Souverain prolifique — il eut huit enfants —, il avait l'habitude de se promener dans les rues de sa capitale toujours flanqué d'un parapluie. Il vécut dans un Paris en perpétuel changement, un Paris bouillonnant d'énergie et d'idées.

En 1831, sept cent mille livres constituaient déjà une très belle fortune. La plupart des familles nobles de Grande-Bretagne possédaient, outre des fortunes comparables sinon supérieures, d'immenses propriétés.

La revue anglaise *Every Young Woman's Companion*, vendue au prix d'un shilling six pence, précise que les charges d'une famille de la moyenne bourgeoisie, consistant en un mari, sa femme, ses quatre enfants et une servante, se montaient à trois cent quatre-vingt dix livres par an, y compris l'argent de poche du chef de famille qui s'élevait à quatre shillings. Un cuisinier était payé quatre livres dix shillings par an.

Une maison à Londres se louait à l'année pour quarante livres. Si l'on avait à la faire repeindre à l'intérieur, il fallait compter trois pence du mètre, et à l'extérieur, cinq pence. Pour une superficie totale de mille mètres carrés environ, la facture s'élevait à dix-huit livres, dix-huit shillings et deux pence.

1

1831

— Je déteste cet homme ! dit la reine Adélaïde tandis que le cheval du duc de Darlington franchissait le poteau d'arrivée avec deux longueurs d'avance sur celui du roi.

Toujours plein d'indulgence et de bonne humeur, le roi Guillaume eut un petit rire.

— Vous pouvez le critiquer, mais reconnaissez qu'il est difficile de ne pas aimer notre duc, le fringant et séduisant Darlington.

A l'annonce de la victoire du duc, la foule exulta. Des cris de joie jaillirent de toutes les bouches. Les chapeaux et les bonnets voltigèrent dans l'air ensoleillé. Manifestement, bien que Gay Glory fût un outsider, de nombreux admirateurs du duc avaient parié gros sur lui.

Tandis qu'il regagnait le pesage, le duc fut acclamé de toutes parts.

— Très belle course, Darlington !

— Bravo, mon cher !

— Toujours aussi en forme, à ce qu'on dirait !

— On aurait dû se douter qu'une fois de plus vous nous surprendriez !

Le reste des félicitations se perdit dans les hourras de la foule qui se pressait autour du pesage. Lorsque le duc s'approcha de son jockey pour le féliciter et qu'il se pencha sur Gay Glory pour lui flatter l'échine, les hurlements de joie décuplèrent, assourdissants.

— Bravo, Ryan ! Vous avez fait un parcours sans faute.

— Monsieur le duc est trop bon. Une fois en tête, c'était tout simple. Y'avait qu'à lâcher la bride.

Le duc sourit et le jockey disparut dans les vestiaires, sa selle sur le bras.

A la proclamation des résultats officiels, de nouveaux applaudissements se déchaînèrent et le duc regagna sa loge où nombre de ses amis l'attendaient, y compris lady Isobel Westbury.

Elle était très belle, très sophistiquée, et le duc lui faisait la cour depuis peu.

A son expression et à la façon dont elle s'accrocha au bras du duc lorsqu'il pénétra dans sa loge, il était impossible de se méprendre sur la nature des sentiments qu'elle nourrissait à son égard.

— Je suis si contente pour vous ! murmura-t-elle. Quand nous serons seuls, je vous exprimerai ma joie avec plus de chaleur encore.

— Je crains, malheureusement, que cela ne puisse être ce soir, sourit le duc.

— Pourquoi ?

La voix de lady Isobel se fit plus dure soudain.

— Parce que je dois dîner au château de Windsor, très chère. C'est la tradition. Celui qui gagne la coupe gagne aussi l'honneur d'une invitation à dîner chez le roi.

— Vous ne pouvez pas refuser ? demanda lady Isobel avec une moue.

— Je ne vois pas pourquoi j'insulterais Sa Majesté, même si je suis à peu près sûr de quitter sa table avec une indigestion, tant sa cuisine est détestable.

Lady Isobel éclata de rire. La qualité de la cuisine royale faisait des gorges chaudes dans les salons londoniens.

George IV avait été un fin gourmet doublé d'un épicurien, mais Guillaume avait à cœur de faire des économies après que les extravagances de son frère eussent fortement grevé le budget de l'État.

— Que diriez-vous de demain, alors ? demanda lady Isobel. Vous ne pouvez pas dire non !

— Laissez-moi faire. Je vais organiser quelque chose. Ne vous inquiétez pas.

Lady Isobel sourit. Elle savait qu'en dépit de ses défauts, qui étaient nombreux, le duc tenait toujours ses promesses. Quoi qu'il en soit, elle ne le lâcherait pas. Elle n'avait pas du tout l'intention d'abandonner sa position de dame de cœur du moment.

La liste des admiratrices du duc était fort longue, si longue que ses amis eux-mêmes avaient renoncé à en tenir le compte exact. Cela n'avait rien de surprenant : non que le duc fût le plus séduisant des membres de l'aristocratie, mais il était le plus influent et surtout le plus riche.

Peu importait d'ailleurs sa fortune et son entregent. C'était son charme, en fin de compte, qui lui attachait toutes les femmes. Elles ne savaient pas résister à son côté insolent et canaille.

— Bon sang, Darlington ! s'était exclamé la semaine précédente un des plus anciens membres du *White's Club*. Existe-t-il une seule femme à Londres avec laquelle vous n'ayez pas couché ?

Le duc n'avait pas pris cela pour une insulte, bien au contraire.

— Si vous en trouvez une, donnez-moi son adresse, s'était-il contenté de répliquer.

Le duc avait réponse à tout.

Il ne fallait pas être grand clerc pour comprendre les raisons de sa popularité auprès des foules. De tous les propriétaires de chevaux, il était de loin le plus racé, le plus élégant, et ses pur-sang étaient tous des gagneurs. Ils ne rataient jamais un départ.

A chaque fois que ses couleurs, le jaune et le noir, apparaissaient sur la casaque d'un jockey ou sur la portière d'une de ses voitures, le pouls des spectateurs se mettait à battre plus vite et les langues allaient bon train :

— Regardez, c'est lui ! C'est le duc ! On va enfin pouvoir s'amuser !

Le duc avait une personnalité si riche, si diverse, il était si plein de vitalité et d'énergie que sans même s'en rendre compte, il en insufflait à tous ceux qu'il rencontrait, comme à tout ce qu'il faisait.

Quantité d'histoires circulaient à son propos

dans les clubs chics de St. James's Street, et jusqu'aux cabarets mal famés de St. Giles.

L'une d'elles notamment avait fait plusieurs fois le tour de Londres : un soir, ayant décidé de rendre une visite impromptue à sa maîtresse, le duc l'avait surprise en galante compagnie. Sans se douter qu'il l'avait démasquée, cette dernière s'était dépêchée de faire disparaître son amant dans un placard. Lorsque le duc était entré dans la chambre, il avait crié à la cantonade :

— Roméo, Roméo ! Où es-tu ?

Quand il avait découvert l'importun, il l'avait extrait de sa cachette et avait dit d'un ton badin :

— Comme tout Roméo qui se respecte, je suppose que vous êtes venu voir votre Juliette en passant par le balcon ? Vous ne serez donc pas étonné de repartir par le même chemin !

Joignant le geste à la parole, il avait empoigné le malheureux par le collet et l'avait expédié par la fenêtre. L'infortuné en avait été quitte pour une jambe cassée.

On rapporte aussi qu'un jour, ayant vu le conducteur d'un fardier battre son cheval comme plâtre, le duc s'était précipité sur lui, lui avait arraché son fouet et l'avait proprement assommé, avant de le ramener chez lui, dans son chariot, pour conseiller à sa femme de le garder au lit jusqu'à ce qu'il fût rétabli.

Les anecdotes s'étaient accumulées au fil des années, relatant ses aventures au collège d'Eton d'abord, puis ses frasques à Oxford.

Elles alimentaient les conversations de ses contemporains qui l'admiraient également pour son esprit sportif, sans être pour autant jaloux. Il réussissait si bien tout ce qu'il entreprenait que chacun se disait qu'il était vain de tenter de rivaliser avec lui.

— Je refuse de me mesurer avec toi dans cette course, lui dit un de ses plus proches amis quand le duc lui demanda s'il participerait au steeple-chase, à moins que tu ne sois assis à l'envers sur ta selle, et encore, les mains liées derrière le dos...

— J'ai bien envie de relever le défi, dit le duc en riant.

— L'ennui avec toi, c'est que tu excelles en tout ! continua son ami. Je devrais te détester, mais non, je ne t'en admire que davantage. Exactement comme toutes ces têtes de linotte qui seraient prêtes à te suivre jusqu'en enfer si tu le leur demandais.

— Tu me flattes ! répliqua sèchement le duc tout en songeant que son ami avait raison de qualifier ses ravissantes amies de têtes de linotte.

Aucune ne se rendait compte que ce que le duc préférait dans ses liaisons, c'était la période de la conquête. Bien qu'il ne doutât jamais de sa victoire, il eût aimé entretenir quelque incertitude, ne pas savoir à l'avance et à coup sûr le temps qu'il mettrait pour parvenir à ses fins. Malgré le retour à une morale scrupuleuse dans l'entourage du souverain, et en dépit de la désapprobation et des froncements de sourcils que s'attiraient immanquablement les personnes de mœurs légères, dès qu'il s'agissait du duc, les femmes, toutes les femmes, étaient prêtes à se perdre, corps et âme.

Elles tombaient dans ses bras avant même qu'il sût leur nom. Il n'avait pas à se donner la peine de leur faire la cour, c'étaient elles qui s'en chargeaient à sa place !

— Ce qui m'ennuie par-dessus tout, confia-t-il à Hubert Brougham, son meilleur ami, c'est l'ennuyeuse répétition de ces situations. J'aimerais tellement un peu d'imprévu, un peu de piment.

— Si c'est aux femmes que tu fais allusion, pour plus d'exotisme, tu devrais chercher ailleurs que dans le périmètre exigu et protégé de Mayfair, à mon avis.

— Tu as probablement raison, dit le duc, pensif. Les femmes que nous connaissons ici sortent toutes du même moule. Elles ont reçu la même éducation et ont appris au berceau les mêmes ruses et les mêmes grimaces.

— Te voilà bien cynique, tout à coup.

— N'est-ce pas inévitable ? Quand on peut prévoir exactement tout ce que ces jolies bouches ont à dire, il est difficile de leur prêter attention.

— J'aurais pensé qu'en pareil cas, tu aurais trouvé mieux à faire que parler !

Le duc rit mais son rire sonnait faux.

— Je me suis souvent demandé, reprit son ami, si tu avais jamais été amoureux.

Le duc haussa les sourcils.

— Ne fais pas l'étonné, tu as très bien compris ma question. Je parle de l'amour, du vrai, de celui qui pousse à s'assagir, à se fixer, à se marier, quels qu'en soient les inconvénients.

— Je ne me marierai jamais !

Hubert le dévisagea avec surprise pendant un instant.

— C'est ridicule, dit-il.

— C'est la vérité, insista le duc. Il y a très longtemps que j'ai pris cette décision. L'idée d'être coincé avec la même femme pour le reste de ma vie me fait horreur au point que je saisirais la moindre occasion pour la tromper.

Il y eut un silence. Puis, comme s'il avait deviné ce que son ami allait lui répondre, le duc poursuivit :

— D'accord, je sais ce que tu penses, mais je n'ai pas l'intention de jouer les maris complaisants et vice versa.

— Tu veux dire que si tu te maries un jour, tu seras fidèle ? demanda Hubert, incrédule.

— Et comme c'est au-dessus de mes forces, rétorqua le duc, je ne me marierai pas !

— Mais tu n'as pas envie d'avoir des enfants ? Il te faut un héritier, tout de même !

— Les Darlington sont si nombreux dans le pays et ailleurs, répondit le duc, qu'il est impossible d'en faire le compte exact. Mon jeune frère qui vit à l'étranger pour raison de santé, comme tu le sais, a déjà deux fils et si, par malheur, ils venaient à mourir avant moi, je dois avoir encore quelque trente cousins germains, sans compter une ribambelle de cousins à la mode de Bretagne.

Hubert soupira.

— Je vois. Il n'empêche que je trouve ça dommage. Tu adorerais avoir un fils. Tu pourrais lui apprendre à monter, à chasser. Évidemment, il n'accepterait pas de gaieté de cœur que tu lui chipes ses petites amies !

— C'est ce que je disais. Mieux vaut me résoudre à ne pas fonder de famille. Je serais un trop mauvais exemple pour mes enfants !

— Là, je suis d'accord ! Je te propose un pari, reprit Hubert après un silence. Cinq cents livres que tu tombes amoureux, malgré toutes tes bonnes résolutions.

— Pari tenu à dix contre un.

— Tope là ! Quelle est la limite d'âge ?

— Mon grand-père s'est remarié à quatre-vingt-dix ans !

— J'aurais dû me douter que tu allais me jouer un mauvais tour, s'écria Hubert. Dans ces conditions, j'ai toutes les chances de mourir avant toi.

— Exactement.

Ils éclatèrent de rire et se mirent à parler chevaux, espèce de loin plus intéressante et beaucoup moins imprévisible que la gent féminine.

De retour chez les amis qui l'hébergeaient pendant la saison des courses, le duc se plongea dans le bain froid que son valet lui avait préparé et pensa avec ennui au dîner qui l'attendait. Les soirées au château de Windsor étaient particulièrement lugubres et il savait que la reine ne l'aimait pas.

Guillaume IV était un homme sociable, de caractère facile, qui avait mené une vie fort dissolue avant de devenir roi et qui, en souvenir de ses frasques, était plutôt enclin à l'indulgence.

Père de dix enfants illégitimes, fruits de sa liaison avec Mrs Jordan, une actrice en renom, il pouvait difficilement jouer les redresseurs de torts, mais sa très jeune femme, allemande de naissance, s'était mis en tête de transformer la cour d'Angleterre, et de substituer aux mœurs relâchées de l'entourage du précédent roi, un nouvel ordre vertueux et édifiant.

Pour ce faire, elle avait commencé par refuser de recevoir la très riche et très belle duchesse de St. Alban, veuve d'un banquier connu, mais dont le passé d'actrice sentait le soufre.

Par la suite, elle avait également fermé ses portes à lady Ferrer qui avait vécu au vu et au su de tous avec son mari avant leur mariage.

La seule chose un peu réjouissante à propos de ce dîner, pensa le duc, c'était que pendant la saison des courses, les invités étaient plus variés qu'à l'ordinaire, plus intéressants aussi, mais tout de même, il aurait préféré une soirée en tête à tête avec lady Isobel.

Il fit la grimace. Quoique... N'était-elle pas, elle aussi, beaucoup trop prévisible ?

Tout comme celles qui l'avaient précédée dans sa vie sentimentale agitée, lady Isobel avait été trop facile à séduire.

Bien qu'ils fréquentassent les mêmes cercles de gens, ils ne s'étaient jamais rencontrés avant ce fameux séjour à Newmarket, où la jeune femme et son mari s'étaient retrouvés sous le même toit que lui, conviés par des amis communs.

Dès l'instant où lady Isobel avait posé les yeux sur le duc, elle avait été conquise et, quand son mari avait été contraint de s'absenter pour assister à un dîner donné par un officier de son régiment, la jeune femme avait saisi au vol cette opportunité, et mis tout en œuvre pour séduire le duc.

Elle lui tomba dans les bras avant même qu'il ne se fût rendu compte de ce qui lui arrivait. Elle était belle et désirable, et il eut été mal venu de se plaindre. Pourtant, il ne pouvait s'empêcher de se dire que, malgré sa beauté, il lui manquait quelque chose.

Elle n'était pas la seule dans son cas. Il ne savait pas pourquoi il réagissait ainsi, mais depuis quelque temps, les femmes le décevaient.

Encore faudrait-il savoir ce que tu veux et ce que tu attends d'elles, se dit-il. Tu ne vas pas jouer les blasés à trente-cinq ans ! C'est ridicule !

Pourtant, il devait se rendre à l'évidence : Hubert avait vu juste. Il devenait de plus en plus cynique et de plus en plus critique vis-à-vis de la gent féminine.

En se rendant au château de Windsor, sa conversation avec Hubert lui revint, ainsi que le ton péremptoire sur lequel il lui avait assuré qu'il ne se marierait jamais.

Je suppose qu'en ce qui concerne les chevaux et les femmes, je suis un perfectionniste, remarqua-t-il pour lui-même. Et si ma femme m'ennuyait autant que m'ennuient la plupart de mes maîtresses, une fois éteinte l'excitation des premiers jours, je serais capable de commettre un meurtre !

Il rit tout haut à cette idée.

Tout en reconnaissant que les femmes lui étaient aussi indispensables que l'eau et l'air, il était fermement décidé à n'en laisser aucune s'installer dans sa vie de façon permanente.

La soirée à Windsor se déroula exactement comme il l'avait prévu, à une exception près : il y fit la connaissance de la femme du nouvel ambassadeur d'Autriche.

Elle avait des cheveux roux, d'immenses yeux verts — combinaison si rare que le duc avait toujours cru que cela n'existait que dans les romans — et une expression énigmatique qui l'intrigua.

Il passa la soirée à lui faire la cour, et vu sa façon de lui renvoyer la balle, il devina qu'il avait affaire à une experte dans les choses de l'amour. Ses yeux promettaient des délices, ses lèvres et son sourire de mystérieux et nouveaux plaisirs.

Avant de se retirer, le duc prit rendez-vous avec elle pour lui rendre visite à l'ambassade dans les prochains jours.

Sur le chemin du retour, il songea que non seulement il ne manquerait pas son rendez-vous, mais que ce serait probablement le premier d'une longue série.

L'esprit tout occupé de sa nouvelle conquête, il en oublia presque lady Isobel et ne se souvint de son existence qu'en trouvant un billet d'elle en arrivant chez lui. Le maître d'hôtel le lui tendit en disant :

— Un des valets du capitaine Westbury a déposé ceci peu de temps après votre départ.

Le duc s'en saisit sans pouvoir s'empêcher de penser qu'il était bien imprudent, de la part de lady Isobel, d'avoir chargé un des domestiques de son mari de lui apporter ce pli. Les commérages vont bon train à l'office et ils reviennent immanquablement aux oreilles de l'intéressé.

Non qu'il se sentît concerné le moins du monde par la réputation de lady Isobel — il avait trop l'habitude de voir les femmes courir de tels risques pour lui plaire —, mais il pensait que leur aventure touchait à sa fin. Certains yeux verts l'intéressaient bien davantage.

— Bon sang ! se dit-il. Pourquoi faut-il toujours que les femmes mettent par écrit leurs états d'âme ?

Une fois dans sa chambre, il déposa sans l'ouvrir le billet sur sa table de toilette et ne s'en soucia plus jusqu'au lendemain, à son réveil.

Il s'habilla avec l'aide de son valet. Ses vêtements lui allaient à la perfection.

— C'est votre nouvelle jaquette, Votre Seigneurie. Weston vient de la livrer.

— Vraiment ? demanda le duc, indifférent. J'espère qu'elle m'ira.

— Je l'espère aussi. Monsieur le duc est si large d'épaules et si musclé que les tailleurs ont du mal à ajuster parfaitement ses tenues.

La voix du valet laissait transpercer la fierté et l'orgueil qu'il ressentait, que tous les domestiques du duc ressentaient, devant son élégance et sa stature d'athlète.

Le duc aurait été surpris s'il avait su avec quelle attention tous s'intéressaient à ses succès sur les champs de courses, à ses exploits à la boxe et à la chasse.

Quand il participait à des steeple-chases, tous ses serviteurs sans exception essayaient de trouver des gens pour prendre leurs paris, mais comme leur maître gagnait la plupart du temps, les parieurs se faisaient de plus en plus rares.

Tous ses domestiques l'adoraient. Non seulement ils étaient fiers de lui mais ils appréciaient sa générosité et son sens de la justice. Son exigence elle-même leur paraissait naturelle et comme allant de soi.

— Cela va à merveille à Votre Seigneurie. Pas le moindre défaut !

Tandis que le duc jetait un coup d'œil à son reflet dans le miroir, il aperçut le petit mot de lady Isobel négligemment posé parmi les brosses et les flacons frappés à ses armes. Il le prit et le mit dans sa poche.

Il allait sortir lorsque son secrétaire particulier frappa à la porte.

— Vous me cherchiez, Ramsgill ? demanda le duc. Si c'est pour le courrier, j'ai bien peur de devoir vous faire attendre. Comme vous le savez, Foxhunter court dans la première course aujourd'hui. Je m'y rends de ce pas.

— Je sais, monseigneur, et je suis sûr qu'il va gagner. A propos, le jockey a envoyé un message précisant qu'il aimerait vous parler avant d'entrer dans le paddock.

— Je suppose qu'il veut connaître mes dernières recommandations, sourit le duc. Il faut qu'il fasse attention au cheval français et qu'il se méfie du jockey de lord Altham. Il est du genre à ne reculer devant aucune traîtrise pour gagner.

— Monseigneur a sûrement raison, dit Ramsgill. Mais le sujet qui m'amène est d'un tout autre ordre.

Tout en parlant, il se tourna vers le valet qui disparut aussitôt et referma la porte derrière lui.

— De quoi s'agit-il, Ramsgill ? demanda le duc. Je suis pressé.

— Je sais, monseigneur, mais nous avons reçu, hier soir, une lettre assez préoccupante de la mère supérieure du couvent de Sainte-Thérèse.

Le duc regarda son intendant d'un air perplexe.

— La mère supérieure... ?

— Monsieur le duc se rappelle sûrement que c'est au couvent de Sainte-Thérèse à Paris qu'il a envoyé miss Félicia Darlington, il y a cinq ans.

— Mon Dieu ! Depuis le temps, j'avais complètement oublié cette histoire ! s'exclama le duc. Oui, bien sûr, je me souviens maintenant que c'est en France, loin des griffes de son père, que nous avons décidé de faire éduquer cette enfant.

Son intendant lui ayant rafraîchi la mémoire, il se remémorait parfaitement le drame qui s'était déroulé cinq ans plus tôt, après une journée de chasse à courre.

Pressés de rentrer au château, son ami Hubert Brougham et lui-même avaient troqué leurs chevaux fourbus contre un phaéton, attelage léger et rapide que le duc affectionnait. Ils allaient à vive allure lorsque l'un des chevaux se mit à boiter.

Aussitôt, le duc avait arrêté l'attelage et mis pied à terre. Le cheval blessé était en train de perdre un fer mais il était impossible de l'enlever sans l'aide d'un maréchal-ferrant.

Ils étaient en rase campagne et à plusieurs kilomètres du village le plus proche. Le duc s'apprêtait à suggérer de s'y rendre tout doucement, lorsqu'il se souvint qu'un de ses cousins habitait tout près.

Pointant le doigt en direction des toits entre les arbres, non loin de là, il expliqua :

— C'est la maison de mon cousin Edmond. C'est un ivrogne et son caractère en est affecté bien sûr, mais nous n'avons pas le choix. Nous ne pouvons faire autrement que de lui demander son aide.

— Ce ne sera pas bien long, dit Hubert, conciliant.

Les deux hommes remontèrent dans le phaéton et, lentement, s'engagèrent dans l'allée qui menait à la maison. Ils bifurquèrent bientôt sur leur droite et gagnèrent directement les écuries.

Un palefrenier d'un certain âge s'avança vers eux et quand le duc lui expliqua ce qui leur était arrivé, l'homme répondit que, par chance, le maréchal-ferrant était là justement.

— Quelle heureuse coïncidence ! Voilà qui résout notre problème, remarqua Hubert.

Le duc qui tenait à ses chevaux comme à la prunelle de ses yeux, voulut à toute force assister à l'opération. Quand le brave homme eut terminé son travail et qu'ils furent sur le point de repartir, le duc, soudain pris de remords, dit à Hubert :

— Je pense qu'il serait plus courtois d'aller saluer mon cousin et de le remercier pour son hospitalité.

— Bien sûr, approuva Hubert.

Ils s'éloignèrent des écuries et se dirigèrent vers la maison. Une servante les fit entrer au salon. La deuxième épouse de son cousin, une femme au physique ingrat avec laquelle il s'était remarié deux ans plus tôt, sursauta en les voyant.

— Pardon, ma cousine, de vous envahir ainsi sans prévenir, dit le duc avec l'aisance qui le caractérisait, mais un de mes chevaux a perdu un fer non loin d'ici, et je me suis permis de venir demander à votre palefrenier de nous tirer d'embarras.

Laura Darlington les assura qu'elle était ravie que ses gens aient pu leur être de quelque secours.

— Vous prendrez bien un rafraîchissement, ajouta-t-elle avec une note d'espoir dans la voix qui fit penser à Hubert qu'elle était ravie, au fond, de leur visite inopinée.

— C'est très aimable à vous, répondit le duc, mais nous avons hâte de rentrer au château pour nous changer. Comme vous pouvez le constater, nous sommes plutôt crottés.

Leurs bottes, habituellement brillantes comme des miroirs, étaient maculées de boue, ainsi que leurs culottes blanches.

— Je comprends, répliqua Laura Darlington. Mais je suis sûre qu'Edmond aimerait vous saluer avant que vous ne repartiez.

— Il est ici ? demanda le duc.

— Oui. Il corrige sa fille.

Pendant un instant, le duc crut à une mauvaise plaisanterie puis, voyant qu'elle ne souriait pas, il répéta lentement :

— Il... Je... je n'ai pas bien saisi. Vous voulez dire qu'il bat sa fille ? Et pourquoi cela ?

Mrs Darlington haussa les épaules.

— Elle l'exaspère. A vrai dire, ma belle-fille est une enfant difficile, mais je le trouve tout de même trop dur avec elle.

Le duc avait l'air très contrarié quand il demanda :

— Où puis-je le trouver ?

— Dans la bibliothèque, répondit Laura Darlington, mais je ne pense pas...

Elle ne termina pas sa phrase. Le duc avait déjà quitté le salon et se dirigeait à grands pas vers la bibliothèque. Comme il en approchait, il entendit des cris, puis des sanglots convulsifs.

Il ouvrit la porte à la volée.

— Non, papa ! Non ! Je vous en supplie... Arrêtez ! Je ne peux plus le supporter !

Il y eut le sifflement d'une canne qui fendait l'air, puis un autre cri déchirant.

La scène qui se déroulait sous ses yeux laissa le duc sans voix pendant quelques secondes. Son cousin Edmond, hirsute, les yeux exorbités, le visage empourpré par la colère et la boisson, cinglait le dos d'une pauvre enfant recroquevillée sur le sol, à ses pieds.

Elle était particulièrement menue et la canne qui s'abattait sur elle avec une force aveugle avait lacéré sa robe qui laissait voir de longues zébrures sanglantes sur son dos et ses épaules.

A l'irruption du duc, Edmond tourna la tête et abaissa son bras.

— Bon... Bonjour, Sel-Selcombe ! s'exclama-t-il. Qu'est-ce qui t'amène ?

Peu de gens appelaient le duc par son prénom et, prononcées d'une voix avinée comme celle de son cousin, ces deux syllabes prenaient des accents d'insulte ou de menace.

— Il me semble que j'aurais dû arriver plus tôt ! répondit le duc d'un ton glacial.

Il traversa la pièce, arracha la canne des mains d'Edmond, la brisa d'un coup sec sur son genou et se précipita vers l'enfant, toute secouée de sanglots et ramassée sur elle-même sur le plancher. Il la prit dans ses bras. Le visage de la pauvre petite était caché par ses longs cheveux et quand le duc la souleva, elle eut un gémissement de douleur.

Le duc se tourna vers son cousin et le regarda avec une telle expression de dégoût et de mépris que n'importe quel homme lucide et sain d'esprit en eût été effrayé.

— J'emmène cette enfant. Tu ne la frapperas plus jamais, dit-il. Si tu étais moins ivre, je te ferais tâter du même genre de remède. En tout cas, je tiens à mettre les choses au point : je ne veux plus jamais te voir. Plus jamais, tu m'entends ?

Tandis qu'Edmond Darlington le regardait, hébété, le duc quitta la pièce. Une fois dans le hall, il interpella un domestique :

— Apportez-moi un chapeau et un manteau pour votre jeune maîtresse.

— Les affaires de miss Félicia sont en haut, dans sa chambre, marmonna l'homme.

— Eh bien ! Qu'attendez-vous ? Allez les chercher.

Comme l'homme s'élançait dans l'escalier, Hubert sortit du salon, alerté par la voix pressante du duc, Laura Darlington sur les talons.

— Que se passe-t-il ? Où emmenez-vous Félicia ? demanda-t-elle.

— Loin de votre mari, qui n'a rien d'un père, c'est le moins qu'on puisse dire ! Je vous plains, madame, d'être affligée d'un tel mari. Mes sincères condoléances.

Le sarcasme et le mépris contenus dans la voix du duc, la façon dont il la regardait, montraient assez ce qu'il pensait d'elle. Comment avait-elle pu accepter et permettre de tels actes de cruauté sous son toit ?

— Félicia fait des histoires pour un oui ou pour un non. Ne vous inquiétez pas pour elle, je vais m'en occuper.

Le duc ouvrait la bouche pour répondre quand il vit le domestique redescendre avec un châle et une cape. Félicia pleurait toujours, mais tout doucement. Ses sanglots s'étaient un peu calmés.

Avec une tendresse inattendue, le duc l'emmitoufla dans le châle, puis dans la cape dont il ramena le capuchon sur sa tête.

— Je suis désolée, se défendit Laura, mais Félicia n'est pas ma fille et si Edmond a décidé de la corriger, je n'ai pas à m'en mêler.

— Je ne m'attendais pas à vous trouver compréhensive, répondit le duc. J'ai déjà averti votre mari que je ne voulais plus jamais vous voir, ni l'un ni l'autre. Si vous essayez de mettre les pieds chez moi, mes serviteurs vous jetteront dehors. J'espère que je me suis bien fait comprendre.

Tout en parlant, il se dirigea vers la porte d'entrée et fut soulagé d'apercevoir son phaéton qui les attendait devant le perron. Il déposa Félicia sur le siège et, tandis qu'Hubert faisait le tour du véhicule pour s'installer de l'autre côté, il prit les rênes et donna une guinée au palefrenier qui retenait les chevaux.

Il n'eut pas besoin de jeter un coup d'œil à l'expression épouvantée de Laura Darlington pour savoir que ce qu'il venait de lui dire constituait la pire punition qui existât pour elle et son mari.

Être frappés d'ostracisme par le chef de famille et exclus de toutes les réunions familiales ne blesserait pas seulement leur orgueil, mais les flétrirait à jamais.

Le duc était révolté par la conduite de son cousin. Il haïssait toute forme de cruauté, qu'elle s'exerçât sur des enfants ou sur des animaux, les uns et les autres étant incapables de se défendre.

Devinant ce qu'il ressentait, Hubert ne dit mot et ils s'éloignèrent en silence de chez Edmond. Ils approchaient du château de Darlington lorsqu'une petite voix effrayée se fit entendre :

— C'est bien vrai ? Vous m'emmenez avec vous ?

— Tu préfères rester auprès de ton père ?

Félicia secoua la tête, puis reprit :

— Vous croyez qu'il viendra me chercher pour me ramener à la maison ?

— Je ne le lui permettrai pas.

Le silence tomba de nouveau et, cette fois, ce fut le duc qui le rompit.

— Quel âge as-tu, Félicia ?

— Treize ans.

Il lui jeta un coup d'œil étonné. Elle paraissait bien frêle et menue pour son âge.

— Il est grand temps que tu ailles à l'école.

— Je... j'aimerais bien, répliqua Félicia. Personne ne s'est occupé de mes études depuis que... maman... est morte. Papa disait que cela coûtait trop cher et qu'il n'avait pas d'argent.

Cela ressemblait bien à cette crapule d'Edmond, de faire des économies sur l'éducation de sa fille ! pensa le duc avec mépris. Ne sachant que lui demander d'autre, il se tut et concentra son attention sur la conduite de la voiture.

Bientôt apparut devant eux la silhouette massive du château. Il était si grand et si imposant que, dans le crépuscule, il aurait semblé presque rébarbatif sans la lumière dorée qui brillait par ses fenêtres et égayait sa façade.

Le duc arrêta le phaéton devant la porte d'entrée, sauta à terre et tendit le bras à Félicia pour l'aider à descendre de voiture. Elle eut un petit cri.

— Je... je ne peux plus bouger !

Les muscles de son corps meurtri s'étaient raidis, le sang de ses blessures s'était coagulé et le moindre geste la faisait horriblement souffrir. Le duc monta sur le marchepied et la prit dans ses bras.

Il la sentit trembler contre lui, mais elle ne dit pas un mot, n'eut pas une plainte. Il monta quatre à quatre les marches du perron et pénétra dans le vaste hall d'entrée.

— Dites à Mrs Kingdom que j'ai besoin d'elle ! dit-il au maître d'hôtel en se dirigeant vers l'escalier.

Après s'être changé pour le dîner, le duc alla prendre des nouvelles de sa protégée dans la chambre où il l'avait laissée à la garde de Mrs Kingdom. Il devait en effet partir pour Londres le lendemain de bonne heure.

Quand le duc frappa à la porte, la gouvernante vint lui ouvrir et il aperçut la petite silhouette de Félicia gentiment allongée dans le lit.

— Comment va-t-elle ? demanda-t-il.

— Son dos est dans un triste état, monseigneur ! Je n'arrive pas à comprendre comment on a pu traiter cette enfant avec autant de brutalité et de cruauté.

Le duc ne répondit pas. Il marcha droit vers le grand lit à baldaquin au milieu duquel Félicia paraissait encore plus petite et plus fragile. Mrs Kingdom avait brossé ses cheveux, lui avait dégagé le front et, pour la première fois, il put voir son visage.

Maigre, les yeux bouffis d'avoir trop pleuré, le nez rouge, elle n'était pas jolie, mais pathétique. Le duc s'assit au bord du lit et lui prit la main.

— Je suis sûr que Mrs Kingdom a pris soin de toi comme il fallait. Tu n'as plus à t'inquiéter de rien à présent, tu es en sécurité ici. Il faut seulement que tu guérisses vite et que tu essaies d'oublier.

Félicia se cramponna à lui des deux mains.

— C'est... vrai ? demanda-t-elle. Je peux rester ici... avec... vous ?

Mrs Kingdom s'était discrètement retirée, les laissant en tête à tête, mais le duc savait qu'elle n'était pas loin et qu'elle se précipiterait au moindre appel.

— J'aimerais que tu m'écoutes attentivement, Félicia, dit le duc de cette voix charmeuse que toutes les femmes trouvaient irrésistible.

— J'écoute, murmura la petite fille en le regardant de tous ses yeux.

Elle s'accrochait à lui, souhaitant de toutes ses forces croire à ce qu'il lui disait, redoutant de découvrir qu'elle vivait un beau rêve qui allait s'évanouir.

— J'ai cru comprendre que tu ne voulais plus voir ton père, dit le duc. Je me suis donc arrangé pour que tu ailles faire ton éducation dans un endroit où tu seras à la fois heureuse et loin de tous ces mauvais souvenirs.

— Il... il ne... pourra pas venir m'y... chercher ? C'est sûr ?

La petite fille était terrorisée par son père, avec raison, du reste.

— Je fais le serment, dit le duc, que plus jamais ton père ne portera la main sur toi et que, si je peux l'éviter, tu ne le verras plus jamais.

— Mais... je pourrais continuer à vous... voir, vous ?

— Bien sûr, mais l'important pour toi, maintenant, c'est d'être avec des jeunes filles de ton âge et d'apprendre, de te cultiver. Je suis persuadé que les études te passionneront.

— Je... je m'efforcerai de... ne pas rester aussi ignorante que je le suis aujourd'hui.

Son désir de s'instruire avait quelque chose de touchant et le duc ne douta pas qu'elle fût intelligente. Les Darlington ne ressemblaient pas tous à son sinistre père !

— Il faut que tu dormes à présent. Ne te fais aucun souci, je m'occupe de tout. Je dois aller à Londres demain matin, mais je ne t'oublie pas. En attendant, durant mon absence, tu peux demander tout ce que tu veux. Tout, tu m'entends ?

Il eut l'impression, pendant un instant, qu'elle n'avait pas compris ce qu'il lui avait dit, puis elle émit un son étrange qui pouvait passer pour un cri de joie.

— Merci... merci ! s'écria-t-elle. Quand vous êtes arrivé dans la bibliothèque, tout à l'heure, et que vous m'avez prise dans vos bras, je... j'ai cru que je... rêvais, que... j'imaginais toute la scène.

— Eh bien, tu ne rêvais pas. Je t'ai réellement emmenée et définitivement arrachée à l'autorité abusive de ton père. Tu peux me faire confiance, plus jamais tu n'auras à vivre dans la peur. (Le duc poursuivit en se levant :) Et n'oublie pas, tu peux demander ce que tu veux ! N'hésite pas surtout !

Félicia émit un cri étranglé qui ressemblait à un sanglot et, avant qu'il ait eu le temps de prévoir son geste, elle porta à ses lèvres la main qu'elle tenait toujours entre les siennes.

Plus ému qu'il ne voulait se l'avouer, le duc se pencha vers elle et l'embrassa sur la joue. Sa peau était glacée mais douce et ferme, remarqua le duc. Une vraie peau de bébé.

— A bientôt, Félicia, dit-il en se dégageant. Tu

peux dormir tranquille. Tout se passera comme je te l'ai promis.

Arrivé à la porte, il se retourna et agita la main en signe d'adieu. Elle leva le bras pour l'imiter, mais réprima une grimace de douleur. Pendant de longs jours encore, son dos la ferait souffrir, se dit le duc. Et contre cela, il ne pouvait rien.

Il pensait la revoir, n'ayant pas l'intention de s'absenter plus de deux ou trois jours, mais ses affaires le retinrent à Londres plus longtemps que prévu et, lorsqu'il revint au château, Félicia était déjà en route pour la France.

En partant, le duc avait chargé Mr Ramsgill, son intendant, de s'occuper de l'avenir immédiat de sa nièce. Homme efficace et organisé, Mr Ramsgill avait découvert un couvent aux environs de Paris dont toutes les mères de famille qu'il avait rencontrées disaient le plus grand bien. Les jeunes filles y étaient éduquées avec soin et strictement encadrées.

Convaincu par la réputation irréprochable de cette pension, le duc était rassuré. Il y avait peu de chance pour que la supérieure du couvent permette à Edmond Darlington de se mêler de quelque manière que ce fût de l'éducation de sa fille.

Connaissant son cousin, le duc ne s'attendait à aucun obstacle, mais mieux valait se méfier. Furieux d'avoir été humilié, ce rustre pouvait vouloir se venger et tout faire pour retrouver la garde de Félicia.

La petite fille avait donné à Mrs Kingdom de précieuses informations sur son père. Ce monstre détestait la pauvre enfant et, non seulement il la battait, mais il la privait de nourriture et la condamnait au pain sec et à l'eau pendant des journées entières sans raison.

— C'est affreux, monsieur le duc, qu'une chose pareille puisse se produire dans une famille aussi connue et respectable ! La propre famile de Monseigneur !

— Je suis bien de votre avis, approuva le duc, et c'est pourquoi je ferai tout ce qui est en mon pouvoir pour mettre miss Félicia en lieu sûr, hors de son atteinte.

— Monsieur le duc a raison d'être prudent, répondit la gouvernante. De toute ma vie, jamais je n'aurais imaginé voir un jour le dos d'une jeune demoiselle dans un état aussi pitoyable. (Il y eut un silence, puis elle reprit :) J'ai le sentiment, monseigneur, que si, par bonheur, le dos de miss Félicia ne garde aucune cicatrice de ces corrections, son esprit, en revanche, en restera marqué à jamais !

Le duc souhaita de tout son cœur que sa gouvernante se trompe mais il n'en était qu'à demi persuadé. Il savait que ce genre de souvenirs a la vie dure dans la tête d'un enfant et que la cruauté dont son père avait fait preuve à son égard hanterait probablement Félicia toute sa vie.

Mr Ramsgill s'était occupé des inscriptions et assuré auprès de la mère supérieure que Félicia ne manquerait de rien. Depuis, il payait régulièrement les frais et prenait souvent des nouvelles de la jeune pensionnaire. Quant au duc, il avait très vite oublié jusqu'à l'existence de Félicia et de son cousin.

Et voilà que tout d'un coup, la mémoire lui revenait.

— Que se passe-t-il ? demanda-t-il à son intendant.

— La supérieure du couvent vient de nous écrire, répondit Mr Ramsgill. Dans sa lettre, elle explique que plusieurs jeunes gens se sont présentés dernièrement à la pension, en se recommandant de vous et en demandant à rencontrer miss Félicia.

Mr Ramsgill jeta un coup d'œil à la lettre qu'il tenait à la main et ajouta :

— Elle dit que jusqu'à présent, elle a refusé leurs requêtes, et qu'elle attend les instructions de Monsieur le duc en la matière.

Le duc ouvrit de grands yeux. Il paraissait stupéfait.

— Je n'y comprends rien, dit-il. Qui sont ces jeunes gens et pourquoi souhaitent-ils rencontrer ma nièce ? C'est une enfant !

Ce fut au tour de Mr Ramsgill d'ouvrir des yeux ronds.

— Mais... Monseigneur aura été informé que...

— Informé de quoi ? demanda le duc non sans une certaine irritation dans la voix. Je ne sais pas de quoi vous parlez, Ramsgill. Expliquez-vous !

Pendant un instant, Mr Ramsgill parut se troubler, ce qui ne lui arrivait jamais.

— Ce n'est pas possible..., commença-t-il. (Il se tut, puis reprit au bout de quelques secondes :) Mon Dieu, monseigneur ! Tout est de ma faute, mais j'étais persuadé que vous aviez lu mon rapport.

— Quel rapport ? De quoi parlez-vous ?

— Mr Edmond est mort, il y a près de deux mois maintenant.

— Mort ? répéta le duc. Personne ne m'en a rien dit. Sa disparition n'a pas dû affecter grand monde. Je me demande même s'il y a eu des gens pour le pleurer.

Le duc parlait d'une voix dure et sans pitié. Il se rappelait la scène à laquelle il avait assisté et avait encore devant les yeux le visage rougeaud et le regard bestial de son cousin.

— Si vous n'avez pas vu l'annonce de sa mort — et je regrette de ne pas avoir attiré votre attention sur son décès —, vous ignorez sans doute que son testament a été rendu public voilà dix jours...

— Son testament ? interrogea le duc. Il ne doit pas avoir grand-chose à léguer...

— Sept cent mille livres, monseigneur !

— Grand Dieu !

Le duc ne s'attendait certes pas à voir Edmond laisser derrière lui pareille somme. Puis il se souvint vaguement que quelqu'un lui avait dit qu'à sa mort, le propre parrain d'Edmond lui avait légué toute sa fortune.

— Sept cent mille livres ! Je n'en reviens pas, souffla-t-il.

— Et c'est miss Félicia qui hérite de tout.

Le duc se tourna vers son intendant, abasourdi cette fois. Depuis qu'il avait éloigné Félicia de son père, c'était lui qui, par l'entremise de son intendant payait sa pension, sa garde-robe, ses loisirs et subvenait à ses menus besoins. Jamais il ne lui était venu à l'esprit que son cousin pût contribuer le moins du monde à l'éducation de sa fille. En fait, il avait voulu couper les ponts entre Edmond et sa fille, tout comme il les avait coupés entre le couple et lui-même.

A présent, il comprenait mieux pourquoi tous ces jeunes gens souhaitaient rencontrer sa nièce. La mort de son père en avait fait une riche héritière. Ces admirateurs qui se pressaient soudain à la porte du couvent n'étaient autres que de vulgaires coureurs de dot ! Il en avait rencontré beaucoup à Londres où ils traquaient les héritières encore presque au berceau comme des chasseurs forcent leur proie.

— Je vous demande pardon, monsieur le duc, pour avoir omis de vous faire part de vive voix de cette nouvelle, bredouilla Mr Ramsgill, penaud. Pas un instant, je n'ai pensé que vous pouviez être laissé dans l'ignorance de la mort de votre cousin par votre famille et, par conséquent, dans l'ignorance de l'héritage dont bénéficie miss Félicia.

— Ce monstre n'a rien laissé à sa femme ?

— Par une indiscrétion, j'ai appris que Mr Edmond avait chassé son épouse l'année dernière. Il la soupçonnait de lui être infidèle.

— Cette réaction ne m'étonne pas de lui, remarqua le duc. Ce n'est pas moi qui irai blâmer Laura. Un homme comme lui mérite cent fois d'être trompé. (Il réfléchit un instant, puis reprit :) Je crois, Ramsgill, qu'il est de mon devoir de me rendre à Paris pour faire ma petite enquête.

— Monseigneur a raison, cela me paraît indispensable. Mais Monsieur le duc est très pris. Les rendez-vous se succèdent...

— Annulez tout ! Je partirai tout de suite après la première course.

— Je vais faire le nécessaire, monseigneur, pour préparer au mieux votre voyage à Paris.

Mr Ramsgill parlait d'une voix assurée mais il savait que ce serait un tour de force que de réussir à tout organiser pour que son maître puisse partir pour la France à la première heure, le lendemain.

— Merci, Ramsgill, dit poliment le duc, sans même s'apercevoir de la difficulté de ce qu'il demandait.

Il sortit de la pièce et, déjà, il ne pensait plus qu'à son cheval, à la course dans laquelle il allait courir. Foxhunter gagnerait, il en était sûr.

2

Grâce à la parfaite organisation de Mr Ramsgill, le voyage du duc se déroula sans encombre et de façon fort agréable.

Le duc tenait beaucoup à ce que tout soit toujours prêt pour lui permettre de partir dans la minute, s'il le fallait. D'un instant à l'autre, l'ennui pouvait fondre sur lui, il pouvait désirer aller s'amuser à l'autre bout de la terre, et il voulait pouvoir s'y rendre sans perdre de temps. Un ordre de sa part, et c'est un système bien huilé qui se mettait en branle pour le satisfaire.

De Londres, il gagna Douvres dans la berline qu'il réservait aux longs voyages. Il avait lui-même imaginé un nouveau dispositif de suspension qui la rendait particulièrement silencieuse et confortable.

Des chevaux lui appartenant l'attendaient, frais et dispos, dans les différents relais de poste qui jalonnaient le chemin. Cet arrangement permettant d'économiser de précieuses minutes, le duc atteignit Douvres en un temps record. Selon ses instructions, son yacht était, lui aussi, à pied d'œuvre. L'équipage ayant été prévenu de son arrivée par un courrier que Mr Ramsgill leur avait dépêché la veille, le navire appareilla une demi-heure après que le duc fut monté à bord.

Il dormit paisiblement dans sa cabine spacieuse et luxueusement aménagée, et quand il s'éveilla, le lendemain à l'aube, les côtes françaises étaient en vue. Peu après, ils accostaient à Calais et, tandis qu'il prenait son petit déjeuner, les marins débarquèrent berline et chevaux.

Le duc détestait rester trop longtemps enfermé dans sa berline à ne rien faire. Les cavaliers de son escorte chevauchaient donc toujours des bêtes superbes qu'il pouvait monter, quand l'envie lui en prenait.

Les badauds, paysans et voyageurs qu'ils croisaient, les regardaient passer, les yeux écarquillés. Le plus souvent, ils applaudissaient et faisaient des signes enthousiastes pour manifester leur admiration. Il faut dire qu'il y avait de quoi. L'attelage du duc avait grande allure.

Les roues aux rayons jaune vif de la berline tranchaient avec le noir rutilant de la voiture. Le cocher et les postillons portaient des livrées du même jaune et des hauts-de-forme noirs. Les quatre chevaux attelés étaient eux aussi d'un noir de jais, tout comme les montures des cavaliers de l'escorte, eux aussi vêtus de noir et de jaune.

Quant au duc, très élégant comme à son habitude, il arborait un œillet jaune à la boutonnière. Son port de tête, sa silhouette, le raffinement de sa tenue lui attiraient tous les regards, féminins et masculins. Pour les uns comme pour les autres, il était la personnification de l'élégance et du bon ton.

Sur la route de Paris, il s'arrêta pour passer la nuit chez un ami de longue date qui eût été offusqué si le duc avait refusé son invitation. Averti par ses éclaireurs de sa prochaine arrivée, le vicomte l'attendait sur le perron de sa demeure. Dès que le duc eut mis pied à terre, il le serra dans ses bras.

— Quel bonheur de vous voir, mon cher ! dit-il en reculant de quelques pas pour mieux contempler son ami. Il y a si longtemps que je n'ai eu le plaisir de vous accueillir.

— Les jours, que dis-je ? les mois filent à une vitesse folle ! Comme je regrette moi aussi de ne pas vous voir plus souvent ! J'attendais cet instant avec impatience.

Tout en parlant, le duc gardait le regard fixé sur son hôte et il lui sembla que le vicomte avait vieilli depuis leur dernière rencontre. De nouvelles rides s'étaient imprimées sur son front et aux coins de sa bouche. Il avait perdu de sa prestance. Pourtant, malgré leurs vingt ans de différence, le duc préférait de loin la compagnie de cet homme intelligent, spirituel et sage à celle des jeunes gens de sa génération.

Sachant qu'il séjournerait chez le vicomte, il avait refusé que Hubert l'accompagne.

— Je te remercie infiniment de ta proposition, Hubert. Elle me touche beaucoup, mais j'aime mieux faire ce voyage seul. D'ailleurs, tu es très occupé à Londres en ce moment.

— Tu sais que si tu as besoin de moi, j'annule tout avec joie, avait répliqué Hubert.

Le duc lui avait souri.

— Tu es un véritable ami. Je n'en attendais pas moins de toi, mais je crois que ce serait une erreur de nous présenter tous les deux devant la mère supérieure de ce couvent français ! Face à deux débauchés comme nous, elle risque de prendre peur et de refuser de me laisser rencontrer ma nièce.

— Si avant la mort de son père, tu te considérais comme le tuteur de cette enfant, maintenant qu'il est mort, tu l'es de par la loi, qu'elle le veuille ou non.

— Tu as raison, avait approuvé le duc, et en tant que tuteur, je jouis de certains privilèges.

Hubert avait éclaté de rire.

— J'ai l'impression que tu soupçonnes qu'il se passe là-bas quelque chose de louchc, et que tu préfères régler le problème tout seul, à ta manière. Quoi qu'il en soit, si tu as besoin d'aide, sache que je suis à ta disposition.

— Merci, Hubert.

Comme Hubert l'avait deviné, le duc ne croyait pas vraiment cette abracadabrante histoire de prétendants faisant le siège du couvent pour avoir une entrevue avec sa nièce, mais en même temps, il pensait qu'il était de son devoir de répondre à ce qui était, à n'en point douter, un appel au secours de la mère supérieure.

En outre, ce voyage lui donnait une excellente excuse pour échapper à lady Isobel. Elle ne l'intéressait plus. Et pas seulement à cause des magnifiques yeux verts de l'épouse de l'ambassadeur d'Autriche ! Isobel était trop possessive. S'il y avait quelque chose qu'il détestait, c'était qu'on le pousse dans ses retranchements et qu'on l'oblige à agir d'une manière qui était contraire à celle qu'il eût choisie. Son indépendance était sacrée. Personne n'avait le droit d'y porter atteinte.

Il sentait qu'Isobel cherchait à le manœuvrer et cela, il ne le permettrait jamais à aucune femme, aussi belle et désirable fût-elle.

Il rédigea un billet à son attention, dans lequel il expliqua qu'il devait se rendre à Paris pour affaire de famille, demanda à Ramsgill de lui faire porter une corbeille d'orchidées, et l'oublia aussitôt, ravi d'avoir su clore ce chapitre de son existence.

Le duc pouvait se montrer très dur et sans pitié dans certaines circonstances, surtout quand il s'agissait de femmes qui, sous prétexte qu'il les avait un instant désirées, se croyaient autorisées à prendre avec lui des libertés qu'il ne leur avait jamais permises.

Lorsqu'elles sont amoureuses, les femmes se croient uniques. Avec moi, ce sera différent, se disent-elles. Et de se convaincre qu'elles sauront régner en maîtresses dans le cœur de l'homme aimé, qu'elles réussiront là où les autres ont échoué, qu'elles sauront, elles, retenir le volage.

Aucune des malheureuses qui s'éprenaient du duc ne faisait exception à la règle, et la déception était cruelle.

— Et tout d'un coup, sans prévenir, il a filé

comme une anguille ! racontait l'une d'elles après que le duc l'eut quittée, sans raison apparente. Je le croyais bien accroché, je m'en réjouissais et l'instant d'après, il s'était envolé.

Son amie et confidente avait éclaté de rire.

— Tu n'es pas la première à qui ce genre de mésaventure arrive, et tu ne seras pas non plus la dernière !

— Je le déteste !

— Ne dis pas ça ! Tu sais très bien qu'il n'aurait qu'à te faire signe pour que tu te précipites dans ses bras.

Si, durant le voyage, le duc avait un instant accordé une pensée à lady Isobel, il aurait deviné sans peine sa réaction au message. Elle avait dû taper rageusement du pied, se ronger les ongles et se demander avec angoisse si sa missive était ou non une lettre d'adieu.

Il ne lui avait pas proposé de nouveau rendez-vous, il ne lui avait pas donné les vraies raisons de ce soudain voyage. Son ton était poli et indifférent.

— Je le déteste ! Je le déteste ! s'exclama-t-elle entre deux sanglots, dans l'intimité de sa chambre à coucher.

Mais elle savait qu'elle ne pensait pas un mot de ce qu'elle disait.

En réalité, au même instant, le duc ne songeait pas à Isobel, mais à son dîner de la veille avec le vicomte. Il en avait apprécié chaque minute. La conversation du vicomte, brillante et cocasse, l'avait tour à tour amusé et intéressé. Son ami avait beaucoup d'esprit et personne mieux que lui ne savait raconter une histoire, relater les derniers potins, faire le portrait caustique et sans indulgence des personnalités du Tout-Paris.

Il avait dormi dans une des plus belles chambres du château, heureusement épargnée par la Révolution, et avait admiré de sa fenêtre la savante ordonnance des jardins dessinés par Le Nôtre.

— Me rendrez-vous de nouveau visite lorsque vous retournerez en Angleterre ? demanda le vicomte.

— Ce serait avec plaisir, mais je serai accompagné de ma pupille.

— Elle sera la bienvenue, dit le vicomte en souriant. Qui est-elle ?

— La fille d'un de mes cousins, répondit évasivement le duc. Elle vient de passer plusieurs années en pension dans votre beau pays et il est temps qu'elle rentre au bercail.

— Je me fais une joie de la rencontrer, d'autant qu'elle doit être ravissante s'il s'agit d'une de vos parentes !

Le duc ne le détrompa pas, mais il se rappela Félicia telle qu'elle lui était apparue la première fois, les yeux boursouflés par les larmes, le nez rouge, les lèvres tremblantes. Son visage était pitoyable et plutôt ingrat, songea-t-il avec regret.

Il se souvint aussi qu'elle était à présent fort riche et ne put s'empêcher de penser, non sans cynisme, qu'avec une telle fortune, peu importait qu'elle fût jolie ou non.

Des hommes, par dizaines, ne manqueraient

pas de lui faire la cour, trop heureux d'épouser une héritière.

— Quoi qu'il arrive, se dit le duc, je ferai en sorte que l'homme qui épousera Félicia ne le fera pas pour son argent, qu'il sera gentil et attentionné avec elle, et qu'il ne la maltraitera pas.

Ce fut seulement en approchant de Paris qu'il se rendit subitement compte que si Félicia avait dix-huit ans, elle était non seulement en âge de se marier, mais elle devait faire ses débuts dans le monde et être présentée à la reine.

Je me suis montré très négligent, se dit le duc qui en voulut à Ramsgill de ne pas lui avoir rappelé plus tôt ses devoirs envers la jeune fille. Passant en revue ses nombreuses relations, il essaya d'évaluer celles qui seraient le plus à même de jouer le rôle de chaperon auprès de sa nièce.

Ce qui était sûr, c'est que nombre d'entre elles ne demanderaient pas mieux que d'accéder à ses désirs s'il leur promettait de les décharger de leurs frais.

Peu importe la dépense, songea-t-il. L'essentiel, c'était que le chaperon, quel qu'il soit, montre assez de discernement pour tenir en respect les éventuels chasseurs de dot.

700 000 livres ! Qu'Edmond ait légué une telle somme à sa fille paraissait incroyable, lui qui avait tout au long de sa vie vécu plutôt chichement.

Quand le duc arriva à Paris, son hôtel des Champs-Elysées était fin prêt pour l'accueillir. Les rumeurs circulaient si vite dans la capitale qu'il fut à peine surpris de trouver déjà trois plis à son attention, sur le plateau d'argent du vestibule.

Le majordome, sanglé dans sa livrée aux couleurs des Darlington, le précéda au salon.

— Le cuisinier a mis du champagne au frais et préparé des petits sandwichs au foie gras pour permettre à Monsieur le duc de patienter jusqu'au dîner, qui sera servi à huit heures. J'espère que cela conviendra à Monseigneur.

— Ce sera parfait ! répondit le duc.

Il prit une coupe de champagne et la porta à ses lèvres, avant de poursuivre :

— Racontez-moi, Félix, quels sont les spectacles qui font fureur à Paris en ce moment ? Le vicomte m'a dit qu'il y avait une nouvelle danseuse au théâtre des Variétés.

La conversation qui suivit fut des plus instructives. Félix était au service du duc depuis des années et connaissait parfaitement les goûts de son maître. Non seulement il lui décrivit les endroits à la mode, mais il l'informa que deux personnes au moins de sa connaissance attendaient avec impatience le plaisir de l'inviter à dîner, et que la ravissante jeune femme qu'il voyait habituellement lors de ses visites à Paris avait retenu une de ses soirées pour lui, au cas où il souhaiterait lui rendre visite.

Le duc prit bonne note de ces intéressantes informations, puis monta dans sa chambre pour se changer.

— Nous voilà de nouveau parisiens, Hignet, dit le duc en s'adressant à son valet occupé à défaire les valises.

— Et accueillis à bras ouverts, comme d'habitude, monseigneur. Cela fait près de deux ans que nous ne sommes venus.

— Deux ans déjà ? Ah ! Mais oui, je me souviens... La dernière fois, Paris était hérissé de barricades, les gens se battaient dans les rues et nous avions préféré aller à Rome.

— Si Monseigneur veut mon avis, je trouve que Rome n'a pas le chic de Paris.

Le duc sourit. Les remarques de Hignet l'amusaient toujours parce qu'elles étaient pleines de bon sens et qu'elles concordaient en général avec ce qu'il pensait lui-même.

Bien qu'il possédât une magnifique villa aux environs de Rome et que la ville regorgeât de monuments exceptionnels, la vie là-bas lui avait paru un peu terne, décevante même. Peut-être était-ce dû à la ravissante Romaine qui lui avait tenu compagnie pendant son séjour ? Elle n'avait ni l'esprit ni l'expérience de ses homologues françaises.

Quand il redescendit l'escalier, en tenue de soirée, il avait si fière allure que ses serviteurs ne purent s'empêcher de le regarder avec admiration.

— Quel homme ! s'exclama une des femmes de chambre en se penchant par-dessus la rampe, pour voir le laquais l'aider à mettre sa cape doublée de satin ivoire.

— Qu'entends-tu par là ? lui demanda son mari, au service du duc lui aussi. Je ne suis pas un homme peut-être ?

— Bien sûr que si, répliqua la femme de chambre, mais tu n'as pas la taille, ni la carrure, ni le beau visage de notre duc ! Je suis jalouse de la femme qu'il prendra dans ses bras ce soir.

— Fais bien attention à toi, sinon il pourrait t'en cuire !

Tandis que le duc montait dans son cabriolet, en route pour une soirée qui promettait d'être animée, la femme de chambre s'élança en riant dans le couloir, poursuivie par son mari.

Le lendemain matin, en route pour le couvent de Sainte-Thérèse, le duc se concentra sur la visite qu'il allait rendre. Il s'était beaucoup amusé la nuit précédente et il lui aurait été facile, au milieu de tous ses amis, d'oublier la véritable raison de son séjour parisien.

Superbe, conduisant avec maestria son tilbury dernier cri, tiré par deux chevaux noirs tout aussi fringants que leur propriétaire, il traversa le Bois et se dirigea vers Versailles. Un peu avant d'atteindre la cité du Roi-Soleil, il s'arrêta dans un petit village où, près d'une belle église du XVIe siècle, se dressait le couvent de Sainte-Thérèse.

Une porte en bois massif où était pratiquée une ouverture pourvue de solides barreaux en gardait l'entrée. Les bâtiments et les terres environnantes étaient protégés par de hauts murs de pierre.

La mère supérieure avait été prévenue de l'arrivée du duc et, à peine le concierge eut-il jeté un coup d'œil à l'occupant du tilbury, que les lourds vantaux s'ouvrirent devant lui.

En remontant l'allée qui menait au corps de logis, qu'il supposa dater du XVe siècle, le duc nota les pelouses bien entretenues, les parterres de fleurs soignés, les grands arbres à l'ombre desquels des jeunes filles jouaient ou conversaient. L'endroit respirait la paix et la tranquillité, atmosphère propice à la concentration et à l'étude.

N'était-ce pas exactement ce qu'avait souhaité Félicia ? se rappela-t-il. Il arrêta son attelage devant l'entrée et mit pied à terre. Une religieuse d'un certain âge vint au-devant de lui. Après l'avoir salué, elle le conduisit à travers un dédale de couloirs et de cloîtres aux colonnades finement ouvragées, dans l'aile où devait loger la supérieure.

Des murs nus, de la simplicité du mobilier, se dégageait une impression d'austérité et de sérénité.

La vieille religieuse poussa une porte.

— Monsieur le duc, ma mère, annonça-t-elle.

Le duc entra dans une pièce sobrement meublée et la supérieure, assise à son bureau, se leva pour accueillir son visiteur. Elle portait un habit blanc barré sur la poitrine par un grand crucifix de bois sombre. Son visage marqué par les années avait dû être très beau. Elle sourit en tendant la main au duc, et son sourire l'illumina toute.

— Merci, monsieur, d'être venu.

Elle parlait un anglais parfait et bien que le français du duc fût à la hauteur, il lui répondit dans la même langue.

— Je pensais, ma mère, que vous me reprocheriez de ne pas être venu plus souvent voir ma pupille.

Un léger sourire se dessina sur les lèvres de la religieuse, comme si elle avait compris que le duc cherchait à s'excuser. Elle lui désigna un fauteuil et suggéra :

— Asseyez-vous, monsieur, je vous en prie. J'ai beaucoup à vous dire.

Le duc s'assit. La mère supérieure prit place sur une chaise à haut dossier de bois sculpté. Elle se tenait très droite et le duc ne put s'empêcher de l'admirer. Un peintre aurait sûrement aimé faire son portrait dans cette attitude noble et hiératique.

— Je souhaiterais tout d'abord vous préciser, commença le duc, que jusqu'à la réception de votre lettre, j'ignorais que le père de Félicia fût mort, et qu'il lui avait légué toute sa fortune, qui est considérable...

— Moi non plus, je n'ai pas été informée de la mort de Mr Edmond Darlington, dit la supérieure avec une note de reproche dans la voix.

— Quand j'ai enlevé Félicia à son père, mon cousin, j'ai coupé toutes relations avec lui. En fait, je ne l'ai pas revu depuis le jour où j'ai quitté sa demeure, portant dans mes bras Félicia, toute tremblante encore des mauvais traitements que son père lui avait fait subir.

— A son arrivée ici, Félicia portait encore sur le dos des marques de coups, se rappela la mère supérieure. Elle a été très honnête et très franche avec moi, et m'a dit que c'était vous qui l'aviez sauvée de ce cauchemar.

— Le hasard a voulu que je me présente chez eux, de façon tout à fait inattendue, expliqua le duc. Je n'ose penser à ce qui serait advenu de la pauvre petite si je n'étais pas intervenu.

— Je crois que Félicia a été heureuse chez nous, dit la mère supérieure. C'est une jeune fille très intelligente et elle a travaillé dur pour rattraper le temps perdu.

— Cela ne m'étonne pas. Sa mère était une femme vive et charmante. Je n'ai jamais compris pourquoi, du reste, elle avait épousé mon cousin.

Tout en prononçant ces mots, le duc se dit qu'en réalité il ne connaissait que trop bien les raisons de ce mariage. Lorsque la mère de Félicia avait rencontré Edmond, elle venait de perdre son père et sa mère. Désemparée, sous le coup du chagrin, elle s'était laissé persuader de l'épouser. Trop contents de se voir débarrassés d'elle, ses oncles et tantes avaient vivement approuvé cette union. Avant de comprendre ce qui lui arrivait, elle s'était retrouvée mariée à un buveur invétéré et violent.

— J'ai peur, reprit le duc, d'avoir été quelque peu négligent en ne me préoccupant pas plus tôt de l'avenir de Félicia. J'imagine qu'il est temps pour elle de quitter votre maison.

— En effet, répondit la supérieure. La plupart des autres élèves de son âge nous ont quittées au début de l'année. Comme vous le savez sans doute, monsieur, Félicia vient de fêter ses dix-huit ans. Nous avons célébré son anniversaire la semaine dernière.

Le duc se contenta de hocher la tête. Il n'allait pas reconnaître son ignorance face à son interlocutrice.

— Je comptais vous écrire, poursuivit la religieuse, pour vous suggérer d'organiser le départ de Félicia à la fin du trimestre, mais les événements de ces derniers temps m'en ont empêchée.

— Qu'est-il arrivé exactement ? demanda le duc.

— Eh bien, j'ai été très étonnée car de nombreux visiteurs, des hommes surtout, se sont présentés à la porte du couvent et ont demandé à voir Félicia. Certains proposaient même de l'emmener déjeuner. J'étais d'autant plus surprise que pendant toutes ces années, jamais personne n'est venu rendre visite à notre petite pensionnaire.

— Vous avez refusé d'accéder aux désirs de ces importuns...

— Et comment ! Nos consignes sont très strictes à ce sujet. Nos élèves ne sont autorisées à quitter le couvent, même pour un déjeuner, que si nous sommes en possession d'une permission écrite et signée de leurs parents ou tuteurs.

— Vous voulez dire, ma mère, que Félicia n'a jamais quitté la pension depuis son arrivée ?

La supérieure sourit.

— Ces règles peuvent paraître sévères, je le reconnais. En fait, Félicia est allée à Paris et dans les environs, mais toujours accompagnée par une religieuse et d'autres élèves.

Peut-être parce qu'elle pensait que le duc désapprouvait cette trop grande rigueur, la mère supérieure ajouta :

— Nous envoyons aussi nos pensionnaires voir

les pièces de théâtre et les opéras propres à enrichir leur culture, ainsi que les musées et les monuments.

— Tout ceci est assurément très instructif et je suis sûr que Félicia aura su en profiter, murmura le duc, mais ces mystérieux visiteurs m'intriguent et j'aimerais en savoir un peu plus à leur sujet.

— Comme je vous le disais, je ne leur ai pas permis de voir votre pupille, mais lors d'une promenade, l'un d'eux s'arrangea pour lui glisser un billet. Quelques jours plus tard, elle en reçut un second pendant une cérémonie religieuse à Notre-Dame.

— On lui a fait parvenir des billets ! s'exclama le duc, stupéfait.

— Félicia en a été si surprise elle-même qu'elle s'en est aussitôt ouverte à moi. Elle ne comprenait pas comment ces messages étaient arrivés en sa possession.

— Vous les avez lus ?

— Oui. Tenez, les voici.

Le duc s'en saisit et, après un coup d'œil à la première missive, il s'aperçut qu'elle provenait d'un de ses lointains cousins, connu pour son amour du jeu dans lequel il avait englouti tout ce qu'il possédait et une partie de la fortune paternelle. Le duc prit connaissance du contenu de la lettre. Son cousin expliquait à Félicia qu'il mourait d'envie de la rencontrer, qu'il l'avait observée en cachette lors de ses trop rares promenades hors du couvent, et qu'il était tombé éperdument amoureux d'elle. Il la suppliait de lui écrire ne serait-ce qu'un mot qu'elle n'aurait qu'à jeter par-dessus le mur du jardin, et dans lequel elle lui fixerait un rendez-vous. Il ajoutait qu'il ne dormait plus et que son cœur battait la chamade à cette perspective.

A la lecture de cette déclaration, une lueur de colère traversa le regard du duc. Il passa à la seconde lettre. Il ne découvrit pas tout de suite de qui il s'agissait, car l'auteur du billet s'était contenté de signer « Arlen ». Puis il se rappela qu'une des sœurs de son père avait eu une fille qui avait épousé un Arlen, et que le signataire devait être leur fils. Le style de sa lettre était très différent du précédent.

J'ai quelque chose de très intéressant à vous apprendre, écrivait-il, *quelque chose qui vous concerne de près et qui, lorsque vous le saurez, changera toute votre existence.*

Demain, lorsque vous vous rendrez à l'église du village, vous verrez une mendiante devant le portail ouest. Faites mine de lui donner une pièce et joignez-y un petit mot m'indiquant où je pourrais vous retrouver. Je vous attendrai le temps qu'il faudra. Si vous ne me donnez pas signe de vie, je vous promets que vous le regretterez votre vie durant.

Denis Arlen.

— C'est scandaleux ! s'exclama le duc.

D'un geste, la supérieure fit taire ses protestations.

— Et ce n'est pas tout, dit-elle. Dimanche dernier, comme je ne voulais pas que Félicia ait affaire à cette mendiante, je lui ai interdit de quitter le couvent. Quand ses compagnes et les religieuses qui les accompagnaient revinrent de la messe, elles me firent part d'un détail qui m'inquiéta fort.

— Quoi donc ?

— Comme prévu, la mendiante était au rendez-vous et, quand les élèves sortirent de l'église après la cérémonie, elles remarquèrent une voiture fermée stationnée non loin du cimetière. Trois inconnus l'encadraient et sœur Agnès m'a dit qu'ils avaient dévisagé nos jeunes filles de façon fort déplaisante.

Le duc se pencha en avant.

— Vous ne voulez pas insinuer, ma mère...

— Je n'insinue rien, monsieur. Je me contente de vous exposer les faits et de vous expliquer les raisons de mon inquiétude, et pourquoi j'ai cru bon d'avertir immédiatement Mr Ramsgill, votre intendant.

— Et vous avez bien fait, approuva le duc. Et je puis vous assurer, ma mère, que je ferai tout ce qui est en mon pouvoir pour que ce genre de choses ne se reproduise pas. Tant que Félicia sera sous ma garde, je la protégerai contre ces grossières manœuvres d'intimidation.

La supérieure sourit.

— J'espérais que vous diriez cela.

Elle parut si soulagée et heureuse de la réaction du duc que celui-ci en conçut quelque surprise.

— J'aimerais vous faire part de certaines de

mes réflexions à propos de votre nièce, monsieur, reprit-elle au bout d'un moment.

— De quoi s'agit-il cette fois ? murmura Charles sur la défensive.

Il avait le sentiment que la religieuse allait lui apprendre quelque autre mauvaise nouvelle.

— Après avoir côtoyé Félicia pendant toutes ces années et avant qu'elle ne parte, je voudrais vous confier quelque chose de très important la concernant.

Le sentiment d'appréhension du duc augmenta.

— Vous m'inquiétez, ma mère ! Ma nièce serait-elle affligée de quelque tare cachée ?

La religieuse semblait avoir du mal à trouver les mots pour exprimer ce qui la préoccupait. En désespoir de cause, elle décida de jouer franc-jeu et déclara tranquillement :

— Probablement à cause des sévices dont elle a souffert, enfant, Félicia a... peur des hommes !

Il y eut un silence, puis Charles répéta :

— Peur des hommes ? Que voulez-vous dire ?

— Elle a un mouvement de recul chaque fois qu'elle croise un homme, chaque fois qu'on lui en présente un. Elle refuse de leur parler ou même de s'approcher d'eux.

— C'est une réaction plutôt étrange pour une jeune fille de son âge, remarqua le duc.

Jamais encore il n'avait entendu parler d'une femme qui fût terrifiée par les hommes. Les femmes qu'il connaissait étaient loin d'avoir cette réaction. Irrésistiblement attirées par le sexe fort, elles dépensaient au contraire toute leur énergie à séduire sans relâche ses représentants.

— Durant les quelques mois qui suivirent son arrivée ici, cette attitude était compréhensible. Après les mauvais traitements qu'elle avait subis au sein de sa famille, il était normal qu'elle identifiât tous les hommes à son père. Mais je pensais qu'elle oublierait vite ce cauchemar et réapprendrait à vivre sans peur.

— Si je vous comprends bien, vous êtes en train de m'expliquer qu'elle n'a toujours pas réussi à dominer sa peur.

— C'est cela ! Dès qu'un homme l'approche, elle est terrorisée. Je me rends bien compte que la vie dans un environnement exclusivement féminin comme le nôtre ne constitue pas la meilleure école pour se familiariser avec le monde extérieur. Or Félicia est votre pupille et, en tant que telle, j'imagine qu'elle va être appelée à mener une vie très mondaine.

— Vous avez deviné juste. Comme toute jeune fille de bonne famille, elle sera présentée à la reine, assistera à tous les grands bals de la saison londonienne, participera à toutes les festivités auxquelles sont habituellement conviées les jeunes débutantes, répondit le duc. Le problème, c'est que je ne vois pas comment je vais pouvoir la convaincre que les hommes jouent un rôle important dans la vie d'une jeune fille, ne serait-ce que comme maris possibles !

— J'espère que vous lui trouverez un époux digne d'elle, monsieur. Félicia m'a un jour parlé de son intention de rentrer dans les ordres, mais je ne saurais trop le lui déconseiller. Elle n'est pas faite pour cette vie.

— Pourquoi pas ? demanda le duc, étonné du ton catégorique de son interlocutrice.

— D'abord, parce qu'elle est beaucoup trop intelligente et qu'elle ne supporterait pas cet univers qui peut être étroit et confiné. Ensuite, et vous serez de mon avis quand vous la verrez, parce que ce serait une grave erreur de refuser de se marier et d'avoir des enfants lorsqu'on est une jeune fille comme elle.

Le duc ne répondit pas.

— Je vais dire à Félicia de venir vous voir, dit la religieuse en se levant. Et puisque vous allez l'emmener, je vais demander qu'on prépare ses affaires et qu'on les porte dans votre voiture.

— Merci, ma mère, dit le duc en se levant à son tour. Je vous suis très reconnaissant d'avoir si bien pris soin de ma pupille durant toutes ces années, et je serais enchanté de pouvoir vous montrer ma gratitude en apportant mon obole à vos œuvres.

Tout en parlant, il sortit une enveloppe de sa poche et la déposa sur le bureau.

— Votre générosité me touche beaucoup, monsieur. On m'a parlé de vos largesses et de la façon dont vous venez en aide aux malheureux qui sont dans la détresse. J'espère qu'un jour, Dieu vous le rendra au centuple.

Le duc ne put s'empêcher de sourire. A Paris, dans les milieux qu'il fréquentait, il avait plutôt la réputation d'un débauché que celle d'un philanthrope ! Il est vrai cependant qu'il donnait sans compter quand une cause lui paraissait en valoir la peine. En tout cas, eu égard à Félicia, il se félicitait que la mère supérieure ait une aussi haute opinion de lui.

Il lui ouvrit la porte, s'effaça pour la laisser passer et se prépara à attendre sa pupille. Les couloirs du couvent étaient interminables et Félicia mettrait sûrement un certain temps avant de venir le rejoindre. Il ramassa les deux billets qu'on avait envoyés à sa pupille et qu'il avait abandonnés sur une petite table, près de son fauteuil.

— Roland Darlington a un drôle d'aplomb de lui écrire une lettre pareille !

Le duc avait détesté le jeune homme dès le premier instant où il l'avait vu. Quand, pour couronner le tout, il avait appris que cet obscur petit cousin utilisait leur lointaine parenté pour forcer les portes des salons londoniens, il avait même failli se fâcher. Quel sans-gêne !

— La prochaine fois que je le rencontre, je vais lui dire ma façon de penser, se promit le duc. Quant à Denis Arlen, il ne perd rien pour attendre !

A présent qu'il y repensait, il se souvenait de ce qu'on lui avait dit de ce bon à rien, tout juste capable de gaspiller l'argent de sa famille. Et cette voiture fermée, près du cimetière ? Et ces hommes louches qui dévisageaient les élèves du couvent ? Qu'est-ce que cela voulait dire ?

— Je vais ramener cette enfant en Angleterre et trouver quelqu'un de confiance pour veiller sur elle, se dit le duc. Ce sera la meilleure manière d'en finir avec cette histoire !

La poignée de la porte tourna lentement. Le

battant de bois s'entrouvrit, comme à regret, une jeune fille apparut et pénétra dans la pièce.

Pendant un instant, le duc se dit qu'il ne pouvait s'agir de Félicia. Il se rappelait une enfant malingre, au visage ingrat ; or la jeune personne qui se tenait debout devant lui n'avait rien à voir avec ce souvenir.

Elle n'était pas très grande, plutôt menue, mais merveilleusement proportionnée. Son corps était celui d'une femme et son visage tout différent de celui que le duc avait gardé en mémoire.

Ce qui frappait d'abord, quand on la regardait, c'étaient ses yeux immenses. Ils n'étaient pas bleus comme on aurait pu s'y attendre avec son teint clair, mais gris pailletés d'or, du même or que les riches reflets qui éclaboussaient ses cheveux blonds bien sagement tirés en arrière.

Elle avait un nez petit et très droit et ses lèvres doucement ourlées étaient d'un rose tendre. Elle est ravissante, songea le duc. Vraiment ravissante. Et il comprit pourquoi la mère supérieure pensait que ce serait un crime de laisser la jeune fille s'enfermer dans un couvent pour le restant de ses jours.

— Vous... êtes là ! murmura-t-elle dans un souffle.

Bien que ces mots eussent été prononcés à mi-voix, il les entendit.

— C'est bien moi, répondit-il.

— Oh ! Je suis si... si heureuse !

Dans un élan, elle se précipita fougueusement vers lui. Pendant un instant, il eut l'impression que le soleil illuminait son visage, puis il s'aperçut que la lumière qui la faisait rayonner venait de l'intérieur d'elle-même. Lorsqu'elle fut près de lui, elle reprit :

— Notre révérende mère m'a dit qu'elle vous avait écrit et j'ai prié... j'ai prié chaque nuit pour que vous répondiez à sa lettre... et quand elle m'a assuré que vous alliez venir, je... je n'osais y croire.

Il y avait dans son intonation une note de joyeuse incrédulité que le duc jugea très flatteuse.

— Pourtant je suis là, en chair et en os, dit-il. Et vous n'avez plus aucun souci à vous faire, je vais régler tous vos problèmes.

— C'est vrai que j'étais inquiète. Il y avait de quoi. Je ne comprends pas pourquoi ces... ces hommes m'ont écrit... d'aussi étranges lettres.

Le duc songea que si ces grossiers coureurs de dot avaient eu l'occasion de l'apercevoir, ils lui auraient écrit dix lettres au lieu d'une ! Et pas seulement pour mettre la main sur sa fortune !

— Je suppose, déclara-t-il tout haut, que votre mère supérieure vous a expliqué que votre père était mort en vous léguant une fortune considérable.

Félicia ouvrit de grands yeux.

— Je savais que papa était mort, mais seulement depuis deux jours, depuis que nous avons reçu la lettre de Mr Ramsgill nous annonçant votre venue. Mais je ne pensais pas qu'il me laisserait quelque chose.

Avant que le duc pût lui répondre, elle poursuivit avec un grand sourire qui l'illumina tout entière.

— Je suis contente... très contente ! J'étais ennuyée à l'idée d'avoir à vous demander... de l'argent. Je trouvais que ce n'était pas... bien.

— Pourquoi cela ?

— Vous m'avez déjà tant donné, répliqua Félicia. Je suis gênée en pensant à toutes ces sommes que vous avez dû payer pour moi à la fin de chaque trimestre. J'ai parlé de mes scrupules à notre mère, mais elle a insisté pour que je ne m'inquiète de rien et que je continue à bénéficier du même traitement que mes compagnes.

— Vos études arrivent à leur terme, maintenant, Félicia, dit le duc. Vous avez dix-huit ans et il est temps pour vous de quitter le couvent et d'affronter le monde. Si vous êtes prête à me suivre, je suggère que nous continuions cette conversation chez moi, à Paris.

— Vous avez une maison à Paris ?

— Un très bel hôtel particulier, sur les Champs-Elysées.

— Oh ! Quel dommage que je ne l'aie pas su plus tôt !

— Pourquoi ?

— Parce que j'aurais peut-être pu l'admirer lors de nos voyages à Paris. Vous n'avez peut-être pas beaucoup pensé à moi durant ces cinq années, mais moi, j'ai toujours pensé à vous, dit Félicia. Je demandais à Dieu de vous protéger et de vous bénir parce que vous m'aviez sauvée.

Le duc fut frappé par l'éloquence de son regard tandis qu'elle poursuivait :

— Je n'oublierai jamais ce que je ressentis lorsque vous m'avez prise dans vos bras pour m'emmener loin de l'enfer familial. Je n'oublierai jamais que, grâce à vous, j'ai pu échapper... aux coups de mon père, à ses sautes d'humeur, à ses terribles colères.

— Je vous en prie, Félicia, oubliez tout cela, dit le duc. Dépêchez-vous d'aller faire vos adieux, nous partons. Une nouvelle vie commence pour vous, une vie que vous aimerez beaucoup, j'en suis sûr.

Félicia fit quelques pas en direction de la porte, puis se tourna vers lui. A l'expression de son visage, il sut que quelque chose la tourmentait.

— Qu'y a-t-il ? interrogea-t-il.

— Si je quitte le couvent, demanda-t-elle d'une toute petite voix, est-ce que ça veut dire que je vais... vivre avec vous ?

— Ça veut dire que vous serez avec moi. Comme j'habite Paris pour le moment et que je vis seul, personne ne nous interrompra lorsque nous parlerons de votre avenir, la rassura le duc.

Félicia laissa échapper un petit cri de joie.

— Je serai avec... vous ! Ce sera merveilleux, ajouta-t-elle, et elle lui adressa un sourire rayonnant avant de sortir en courant comme une enfant.

Le duc resta immobile à fixer l'endroit qu'elle venait de quitter. Il avait du mal à croire que cette belle jeune fille existait vraiment. Elle était ravissante, et soudain, le duc eut le pressentiment que ses difficultés avec elle ne faisaient que commencer.

3

— Il va nous falloir apporter le plus grand soin à l'élaboration de notre plan de campagne, dit le duc à sa pupille, tandis qu'ils faisaient route vers Paris.

— Notre plan de campagne ? demanda Félicia.

— Celui qui vous permettra de réussir une des plus délicates opérations de la vie, la métamorphose de la chrysalide en papillon.

Félicia éclata de rire.

— Car d'après vous, je vais me transformer en papillon ?

— Je l'espère bien. En un ravissant papillon, brillant et coloré.

— Qu'est-ce qui vous fait penser cela ?

Le duc la considéra un instant en silence avant de répondre :

— Peut-être devrais-je commencer, Félicia, par vous expliquer le rôle important que vous aurez à tenir dans le monde. Votre rang vous oblige à certains devoirs...

— Mon rang ? Je... je ne comprends pas. Mes

parents étaient peu connus. Ils ne sortaient pas beaucoup, murmura Félicia, l'air étonné. A moins que... C'est vrai que je suis une de vos lointaines cousines, mais...

— Vous êtes ma pupille, précisa le duc. Et comme si cela ne suffisait pas, vous êtes aussi depuis peu une jeune héritière à la tête d'une fortune considérable.

En entendant ces mots, elle sursauta.

— Mais... papa n'a pas pu me léguer beaucoup d'argent, dit-elle à mi-voix. Il passait son temps à se plaindre qu'il n'avait rien.

— A mon avis, votre père était un vieil avare qui cachait bien son jeu, répliqua le duc. De plus, il y a quelques années, il a hérité de son parrain une somme considérable qu'il a placée judicieusement, je dois en convenir, et qui vous revient en propre aujourd'hui, car vous êtes sa seule légataire.

— La seule ?

— La seule ! répéta le duc.

— Et ma belle-mère ? Son épouse ?

— Après une énième dispute, votre père s'est séparé d'elle.

Félicia laissa échapper un petit soupir.

— Elle a dû être très malheureuse.

— On dirait que cela vous attriste. Votre sort pourtant ne semblait guère la préoccuper. Elle ne s'est jamais interposée, par exemple, lorsque votre père vous maltraitait.

— Il n'était guère plus aimable avec elle. Il ne la battait peut-être pas, mais la faisait pleurer souvent.

— Vous devriez essayer d'oublier tout cela,

Félicia, dit doucement le duc. Je sais que ce n'est pas facile, mais efforcez-vous de tourner la page, d'effacer ces douloureux souvenirs. L'avenir qui s'ouvre à vous est plein de soleil et de rires. Un chemin de roses ! J'exagère peut-être un peu... C'est sans doute trop demander au destin.

Félicia rit gaiement.

— Beaucoup trop ! J'ai étudié l'histoire et me suis rendu compte que tous les hommes, quels qu'ils soient, à un moment ou à un autre de leur existence, doivent affronter des situations difficiles, tragiques même parfois. Quant aux dieux grecs, ils ne sont heureux que lorsqu'ils sont en plein drame !

— Je suis rassuré de vous voir si philosophe. J'ai toujours pensé qu'il était important de savoir faire la part du feu.

Félicia resta un instant silencieuse, réfléchissant à ce que son interlocuteur venait de dire, puis elle déclara :

— Vous voulez dire que si quelqu'un a été déçu ou injustement blessé, il doit essayer d'oublier le tort qu'on lui a fait ?

— Exactement ! Et j'aimerais que vous mettiez pour vous-même ce précepte en application, et que vous chassiez de votre esprit tout ce qui vous a rendue malheureuse jusqu'ici, tout ce qui s'est passé avant que je ne vous envoie au couvent de Sainte-Thérèse.

— En tout cas, je n'oublierai jamais que vous... m'avez sauvée, dit Félicia d'une voix douce. D'ailleurs, je vous ai canonisé. Vous êtes un saint pour moi.

Le duc sursauta et se tourna vers elle.
— Un saint ! Moi ?! Comment cela ?
Félicia sourit.
— La plupart des élèves et toutes les religieuses sans exception ont un ou plusieurs saints de prédilection qu'elles prient et invoquent en brûlant des cierges, quand elles souhaitent obtenir une faveur.
— Et bien sûr, grâce à ces pieux exercices, leurs prières sont exaucées ! dit le duc avec une note de cynisme dans la voix.
Sans tenir compte de son interruption, Félicia poursuivit :
— En arrivant au couvent, n'ayant pas de saint attitré, je me sentais exclue, perdue. Et puis, j'ai pensé à vous. Vous étiez mon sauveur, vous êtes devenu mon... saint Georges.
— N'est-ce pas manquer du plus élémentaire respect que de comparer son père à un dragon ? objecta le duc d'un ton moqueur.
Félicia ne se démonta pas. Au lieu de rentrer dans son jeu et de répondre par une pirouette, elle reprit le plus sérieusement du monde :
— Chacun de nous a son dragon, mais tout le monde n'a pas la chance, comme moi, de rencontrer le preux chevalier qui l'en débarrassera. Vous êtes arrivé à un moment où j'étais... si malheureuse, si désespérée que je voulais... mourir !
Elle parlait avec feu et conviction et on voyait bien que ce qu'elle disait venait du fond du cœur, mais le duc freina son enthousiasme. Il ne voulait pas s'encombrer de cette émotion débordante.
— C'est le hasard qui m'a conduit jusque chez vous ce jour-là. Rien d'autre. Je suis très flatté

de me voir gratifié d'une auréole, mais la plupart de ceux que vous rencontrerez vous diront que je ne la mérite pas, loin de là.

— Je connais votre réputation. Il paraît qu'on vous surnomme « le fringant Darlington » !

— Comment savez-vous cela ?

— Toutes les élèves à l'école ont entendu parler de vous, surtout celles dont les parents ont des chevaux de course.

Le duc ne put s'empêcher de se demander quelles pouvaient bien être les autres histoires que l'on colportait sur son compte.

— Mes amies m'admiraient et m'enviaient d'avoir un tuteur aussi en vue et aussi distingué, continua Félicia. Aussi, comme je me posais des tas de questions à votre sujet et que je souhaitais toujours en savoir davantage, elles prirent l'habitude d'interroger leurs parents pendant les vacances et, à leur retour, elles me faisaient un rapport détaillé sur vos faits et gestes.

— Et qu'avez-vous appris de si intéressant ? demanda le duc avec une certaine appréhension.

Il avait eu plus d'une aventure en France. Certaines même avaient provoqué des scandales qui avaient fait les délices du Tout-Paris et n'avaient pas peu contribué à accréditer sa réputation de viveur.

— J'ai appris, répondit Félicia, que vous aviez une écurie de chevaux de course grandiose, que vous êtes un véritable sportif, un tireur émérite et très dangereux, surtout quand vous vous battez en duel.

Le duc sursauta.

— Les duels sont interdits.

— Mais quand il s'agit de laver son honneur, personne ne se préoccupe de la loi, remarqua doucement Félicia avec un sourire entendu. J'étais si heureuse et si fière quand j'ai appris que vous étiez sorti vainqueur de votre duel avec le comte de Versonne ! Vous l'avez blessé, mais il n'a eu que ce qu'il méritait.

— Mais comment diable avez-vous entendu parler de cette histoire ? demanda le duc, de plus en plus surpris.

Son duel avec le comte de Versonne lui avait valu de nombreuses critiques car c'était son insolence et sa légèreté qui l'avaient provoqué.

Absent depuis plusieurs jours de chez lui, le comte avait eu la malencontreuse idée de regagner son château plus tôt que prévu et à l'improviste, de sorte qu'il avait surpris le duc dans le propre lit de sa femme.

Comme le voulait son honneur blessé, il avait demandé réparation à son rival et, dès le lendemain, à l'aube, le mari et l'amant s'étaient rencontrés sur le pré, accompagnés de leurs témoins respectifs.

Mû par la colère et la peur, le comte avait triché et tiré sans attendre qu'on lui en donne l'autorisation. La balle n'avait fait que transpercer le chapeau du duc, par bonheur, mais ce dernier, déséquilibré, n'avait pu maîtriser la trajectoire de sa propre balle, et son coup avait atteint son adversaire au bras, lui brisant l'humérus. Comble de malchance, le comte avait été pris de fièvre et la gangrène s'était mise dans la plaie si bien qu'on avait dû l'amputer.

Semblable drame était des plus rares car, habituellement, les duellistes expérimentés comme le duc s'arrangeaient toujours pour ne blesser que superficiellement leur adversaire. Les témoins du comte arguèrent que le duc l'avait fait exprès, et ceux du duc que le comte avait triché. Paris fut le théâtre d'une bataille acharnée entre les deux camps, bataille toute verbale bien sûr, qui se termina lorsque le comte fut tout à fait rétabli.

Le duc n'étant pas très fier de cet épisode de sa vie, il regrettait que Félicia en eût entendu parler.

— La nièce du comte de Versonne était pensionnaire au couvent, expliqua Félicia en réponse à la question de son tuteur. Nous savions par elle que son oncle était un affreux bonhomme et elle comprenait très bien pourquoi sa tante était tombée amoureuse de vous.

Gêné du tour que prenait la conversation, bien peu convenable pour une jeune fille, le duc coupa court en concluant plutôt sèchement :

— Oublions les Versonne et faites-moi part des autres histoires qui circulent sur mon compte. Je suis étonné que la mère supérieure ne fasse pas taire de tels bavardages.

Félicia rit.

— Personne, pas même notre mère, n'aurait pu nous empêcher d'en parler, et de nous repaître de ces détails croustillants. Et puis, comment n'aurais-je pas souhaité apprendre à mieux vous connaître ? Depuis la mort de maman, vous êtes le seul à m'avoir montré un peu... d'affection.

Elle avait, en prononçant ces mots, une intonation émue qui mit le duc mal à l'aise. Il était normal qu'il comptât dans la vie de Félicia, se dit-il. Pourtant, il ne fallait pas que la jeune fille s'attache trop à lui, qu'elle se mette à l'aimer comme tant de femmes l'avaient fait avant elle.

— Il est vrai que mes chevaux ont gagné beaucoup de courses ces derniers temps, assez en tout cas pour alimenter vos conversations, j'imagine, remarqua-t-il.

— C'était le plus extraordinaire ! Comme mes amies voulaient me faire plaisir, elles demandaient à leurs pères de leur envoyer les articles de journaux décrivant les courses les plus marquantes. Je les ai tous gardés.

Elle ne remarqua pas l'expression de surprise qui apparut dans les yeux de son interlocuteur et poursuivit :

— J'ai aussi gardé tous les entrefilets où l'on parlait de vous, mais les histoires les plus intéressantes, ce sont mes amies qui me les ont racontées. Elles les tenaient de leurs parents.

— Mon Dieu, Félicia, vous m'embarrassez à la fin ! s'exclama le duc. Ma vie n'a rien d'exemplaire et ne mérite certes pas qu'on s'y intéresse avec autant de zèle ! Heureusement, vous allez bientôt vous retrouver si occupée, votre vie va être si riche en événements de toutes sortes que vous aurez de quoi remplir des pages et des pages de votre journal, et couvrir tout votre album de coupures de presse !

— Peu importe ma vie, c'est la vôtre qui me captive et maintenant que je vais vivre auprès de vous, j'ai bien l'intention de constituer un recueil de tous les documents que je pourrai réunir sur vous et sur vos faits et gestes. Comme ça, quand vous serez mort, les générations futures n'ignoreront rien de vous et sauront au contraire quel personnage hors du commun vous avez été.

— Il existe déjà bien assez de livres sur l'histoire de la famille, dit le duc. Ils encombrent des panneaux entiers de la bibliothèque du château. (Il marqua une pause, puis poursuivit :) Vous rappelez-vous le château ?

— Pas très bien. Je me souviens seulement qu'il est immense et impressionnant, avec ses donjons, ses tourelles, ses corridors qui n'en finissent pas, ses enfilades de salons tous plus somptueux les uns que les autres... Un jour, lors d'une fête de famille, je devais avoir neuf ou dix ans, vous avez fait un discours dans la salle de bal. Je vous avais trouvé magnifique et ce cadre fastueux vous convenait parfaitement.

Le duc sourit.

— Eh bien, savez-vous que c'est justement dans ce cadre fastueux que vous allez habiter à partir de maintenant ? Excepté, bien sûr, quand vous serez à Londres.

— Vous séjournez souvent à Londres ? demanda Félicia.

— Assez souvent. Je suis sûr que vous aimerez la saison londonienne et sa cohorte de bals et de fêtes. Vous vous y amuserez beaucoup, vous verrez... (Félicia ne répondit pas et il continua :) Mais tout d'abord, occupons-nous d'organiser votre avenir étape par étape. Notre première tâche va être de vous constituer une nouvelle garde-robe.

Félicia laissa échapper une exclamation de plaisir.

— Des jolies robes ? A la dernière mode ?

— Bien sûr ! Vous pouvez difficilement sortir dans le monde en tenue de pensionnaire.

Tout en parlant, il jeta un coup d'œil à la robe très simple que portait la jeune fille. C'était bon pour le couvent, mais beaucoup trop sévère pour les salons londoniens. Il remarqua cependant que le bleu de l'étoffe faisait ressortir sa carnation et ses yeux, et que les rubans de même couleur qui ornaient sa capeline rehaussaient sa blondeur. Habillée avec recherche et à la mode du moment, songea le duc, elle ferait sensation.

— Nous nous trouvons au cœur de tout ce qui se fait de mieux en matière de toilette féminine, reprit-il. Paris me semble l'endroit idéal pour vous procurer une collection de toilettes qui vous attireront l'envie de toutes vos compagnes et de toutes les femmes qui, en ville, ne savent plus où donner de la tête, tant les tentations sont grandes.

Félicia rit encore.

— Je sais. Mes amies m'ont raconté que leurs mères passaient toute la matinée à choisir la robe qu'elles allaient mettre pour la journée et tout l'après-midi à décider de celle qu'elles allaient porter pour le bal, le soir même. Moi, je ne supporterai pas de perdre ainsi tant de précieuses heures.

— Ah, bon ! Que ferez-vous donc de vos journées ? demanda le duc d'une voix amusée.

— J'aimerais les passer à vos côtés. Au couvent, je rêvais que je vous accompagnais dans vos promenades à cheval et que j'assistais aux courses où vous aviez engagé des chevaux. Je voudrais aussi aller admirer des ballets, me rendre au théâtre, quoique ce ne soit peut-être pas la place d'une jeune fille ?...

Elle regarda le duc à travers ses cils pour voir s'il était choqué par ses propos. Il se contenta de sourire.

— A mon avis, tous ces désirs sont parfaitement réalisables et nous les inclurons dans notre programme, mais vous avez omis de me dire quelque chose de très important.

— Ah, oui ? Quoi donc ?

— A qui pensez-vous pour vous escorter, lors de toutes ces sorties ?

Félicia ne répondit pas tout de suite, comme si elle hésitait sur la signification réelle à donner aux paroles du duc.

— Ne pourrais-je aller aux courses avec vous ? finit-elle par demander.

— Bien sûr ! Pour les courses les plus cotées, ma loge est toujours pleine d'invités, répondit le duc d'un ton évasif.

Il eut l'impression que Félicia avait failli lui répondre qu'elle préférait être seule avec lui, puis qu'elle s'était ravisée, de peur de paraître insistante.

Il est normal qu'elle veuille être avec moi pour l'instant, pensa-t-il. Elle ne connaît personne. Dès qu'elle aura quelques amis de son âge, elle me trouvera trop vieux pour elle.

Bien que rassuré par cette idée, il ne put s'empêcher de remarquer la lueur d'admiration qui brillait dans les yeux de Félicia lorsque son regard croisait le sien.

Une fois encore, il essaya d'analyser froidement la situation. N'était-il pas logique qu'elle reporte sur lui tous ses espoirs et toute son affection ? Ne venait-elle pas de passer de longues années au couvent, sans famille ni amis proches. Était-il si difficile de concevoir que s'il avait occupé toutes ses pensées, c'était parce qu'elle le considérait comme son sauveur, comme celui qui l'avait arrachée au despotisme d'un père indigne ?

Raison de plus, se dit-il, pour agir avec doigté et diplomatie. Le cœur d'une jeune fille est une mécanique compliquée et fragile, et il ne voulait pas risquer de la faire souffrir.

Quand ils atteignirent les Champs-Elysées et qu'ils s'arrêtèrent devant l'hôtel du duc, Félicia laissa libre cours à son enthousiasme.

— C'est une merveille ! s'exclama-t-elle. Votre demeure est exactement telle que je l'imaginais en secret.

En entrant dans le salon, elle tomba en arrêt devant chaque tableau et poussa des cris de ravissement en découvrant le Boucher, le Fragonard et le Le Nain que le duc avait achetés l'année précédente.

— Je vois que vous appréciez mes tableaux, remarqua-t-il.

— J'ai étudié ces peintres au Louvre, car je savais que vous possédiez plusieurs de leurs œuvres dans votre château d'Angleterre, et aussi à Rome, dans votre villa. C'est une élève de ma classe, une Italienne qui me l'a dit.

— C'est incroyable ! Vous êtes mieux renseignée qu'un policier ! Ne me dites pas que vous savez aussi quelles peintures sont accrochées sur mes murs !

— Cela, je l'ignore. Mais rassurez-vous, je voulais seulement me cultiver un peu en matière de peinture, pour ne pas vous paraître trop ignorante, surtout en ce qui concerne les grands maîtres, répondit simplement Félicia.

Le duc remarqua que de nouveau la conversation tournait autour de lui. Il se hâta de changer de sujet.

— Si vous le permettez, je vais demander à mon secrétaire de convoquer ici les meilleures couturières de la rue de la Paix. Avant qu'elles n'arrivent, je pense que nous avons bien mérité une coupe de champagne. Qu'en dites-vous ?

Lorsque, quelques minutes plus tard, Félicia leva son verre, ses yeux brillaient d'excitation.

— C'est la première fois que vous buvez du champagne ? demanda le duc.

— Au couvent, nous ne buvions que de l'eau. A la seule idée de toucher à une goutte d'alcool, les religieuses se pâmaient d'horreur !

Tandis que Félicia parlait, le duc nota deux fossettes de chaque côté de sa bouche. Cela ajoutait encore à son charme, pensa-t-il.

Au repos, son visage était d'une beauté presque immatérielle, mais quand elle riait, une lueur malicieuse éclairait son regard, ses fossettes se creusaient et elle devenait irrésistible.

Elle sera sous peu la coqueluche de Londres, songea-t-il.

Félicia approcha son verre de ses lèvres.

— C'est un grand jour, dit-elle. Ne porte-t-on pas un toast en pareille occasion ? C'est ce que font les héros dans les romans que j'ai lus.

— Vous avez raison. Puisque vous venez de quitter le couvent, je propose que nous buvions en votre honneur. A Félicia ! dit-il en levant son verre avec un petit salut à son adresse. A ses premiers pas dans ce monde nouveau pour elle mais où, j'en suis sûr, ses désirs les plus chers se réaliseront sans tarder.

Tout en prononçant ces mots, il se reprocha leur nuance romantique, mais n'était-ce pas ce qu'une jeune fille attendait, ce qu'elle aimait ? L'émotion qu'il lut dans son regard lui prouva qu'il avait vu juste.

A son tour, Félicia leva son verre. Elle planta son regard dans celui du duc.

— A saint Georges ! Puisse-t-il continuer à tuer tous les dragons !

Le duc rit.

— Vous me confiez là une lourde tâche, Félicia, mais je vous promets de faire de mon mieux pour vous complaire.

Il s'exprimait d'un ton léger, presque moqueur, parce qu'il s'était rendu compte que la jeune fille avait mis tout son cœur dans son souhait.

On annonça le déjeuner et le duc précisa qu'il avait demandé qu'on les servît de bonne heure, car les couturières n'allaient pas tarder à arriver.

— Je crois que le mieux sera de leur acheter les tenues que vous pourrez porter tout de suite avec un minimum de retouches. Nous leur commanderons également plusieurs costumes d'après-midi et des robes du soir dans lesquelles vous subjuguerez d'abord Paris, ensuite Londres.

— Cela vous... plaira ?

— Bien sûr ! Je ne voudrais pour rien au monde que ma pupille rate son entrée dans le monde.

— Je vous promets d'essayer d'être à la hauteur. Je tiens par-dessus tout à vous faire honneur, dit Félicia. Mais n'oubliez pas que je n'ai pas quitté le couvent pendant plusieurs années et que, par rapport à mes compagnes qui retournaient chez elles pour les vacances, je vais paraître bien terne, bien ignorante et inexpérimentée.

— Cela m'étonnerait beaucoup. Si vous écoutez ce qui se dit autour de vous, vous aurez tôt fait de vous mettre au courant et de vous mêler à la conversation.

— S'il vous plaît... Vous m'aiderez ? demanda Félicia. Vous m'empêcherez de faire le moindre faux pas ?

— Comptez sur moi. Et souvenez-vous, Félicia, que vous avez un instinct et qu'il faut vous en servir. La mère supérieure m'a dit que vous étiez très intelligente. Si vous savez utiliser vos yeux et vos oreilles, vous ne ferez aucun faux pas, vous ne commettrez aucune maladresse.

— Vos suggestions sont pleines de sagesse mais, à mon avis, cela ne suffit pas. Avoir des yeux pour voir et des oreilles pour entendre, c'est bien, mais il manque encore quelque chose.

— Vraiment ? Et de quoi s'agit-il ?

— Il faut aussi comprendre avec son cœur.

Le duc leva la tête et la fixa sans rien dire pendant quelques secondes. Peu de femmes de son entourage auraient été capables d'une telle réflexion, songea-t-il. Félicia, il le découvrait à chaque instant, était très différente. Le cœur chez elle tenait une place prédominante. Tout en admirant cet aspect de sa personnalité, il ne pouvait s'empêcher de penser à ce que cette qualité pouvait avoir de dangereux. Il prit le parti de répondre légèrement :

— Vous avez raison, le cœur est très important, particulièrement important pour la personne à qui vous le donnerez.

— J'ai l'impression d'avoir déjà lu cela dans un livre. Je ne suis pas tout à fait d'accord avec cette idée. A mon avis, on ne peut pas disposer de son cœur à sa guise.

— Et pourquoi pas ?

— Parce que... si l'on aime quelqu'un, on ne peut pas s'empêcher de lui donner son cœur. La réalité, c'est qu'on n'a aucun pouvoir sur l'amour. Votre cœur vous est ravi avant même que vous ayez compris ce qui vous arrivait. Toute défense est inutile. Elle survient toujours trop tard.

— Voilà une affirmation intéressante ! s'écria le duc. Si j'ai bien saisi votre raisonnement, vous pensez que lorsqu'on tombe amoureux, c'est malgré soi, indépendamment de sa volonté.

— C'est ce que je crois, oui ! Je comparerais volontiers l'amour au soleil levant dont la lumière peu à peu inonde le monde, chassant l'obscurité de la nuit.

— A vous entendre, on dirait que vous avez déjà été amoureuse.

Félicia se hâta de le détromper.

— Non, non ! Bien sûr que non ! Mais j'ai beaucoup lu sur ce sujet et les élèves de ma classe n'arrêtaient pas d'en parler. Je suis sûre que ce doit être quelque chose de merveilleux... quelque chose qui ne m'arrivera pas.

— Qui ne vous arrivera pas ? Que voulez-vous dire ?

— Je ne me marierai jamais !

Le duc s'appuya au dossier de sa chaise et la regarda, perplexe.

— Quelle curieuse déclaration dans la bouche d'une jeune fille ! C'est ridicule, voyons !

Tout en parlant, il se rappela que Hubert lui avait fait, peu ou prou, la même réflexion. Avec une pointe d'agressivité dans la voix, il reprit :

— Comment, à votre âge et ne connaissant rien du monde, comment pouvez-vous dire que vous ne vous marierez pas ? (Il y eut un silence, puis il poursuivit :) Je vous ai posé une question, Félicia, répondez-moi.

— Vous êtes fâché... à cause de moi, murmura-t-elle tristement. Je suis désolée. Ce n'était vraiment pas mon intention. Je me doutais bien que... si je vous disais ce que je pensais, vous... ne m'approuveriez pas. (Elle marqua une pause, puis continua :) Je... je sais bien que si je ne me marie pas, je représente un poids mort pour vous, une charge même, et cela, je ne le veux à aucun prix. Mais maintenant que je viens d'hériter de mon père, c'est différent. Je suis riche. Je pourrai subvenir à mes propres besoins. Je ne vous coûterai pas un sou.

— Là n'est pas la question, Félicia. Qui vous parle d'argent ? Ce que je veux que vous m'expliquiez, c'est pourquoi vous dites que vous ne vous marierez jamais. Quelle absurdité ! Le but essentiel de toute jeune fille n'est-il pas justement de trouver un bon mari ?

— Il y a des femmes qui ne se marient pas... les religieuses, par exemple.

— Nous ne sommes pas en train de parler des religieuses, mais de vous ! Et nous parlons de l'amour, Félicia. Si vous êtes une jeune fille normalement constituée et en pleine santé, ce qui m'a l'air d'être le cas, vous rencontrerez un jeune homme, vous vous éprendrez de lui et vous souhaiterez vous marier.

— Quand j'essayais à l'instant d'expliquer ce qu'était... l'amour, dit Félicia, je... je parlais en général. Je trouvais passionnant de discuter de ce sujet avec vous, d'apprendre ce que vous en pensiez. Mais cela n'avait aucun rapport avec moi. Cela n'avait rien de personnel.

Si elle était sincère, pensa le duc, cela prouvait une fois de plus qu'elle était très différente des femmes qu'il avait coutume de fréquenter et qui, quel que soit le sujet abordé, le ramenaient immanquablement à elles, surtout quand il s'agissait d'amour.

— Vous ne répondez toujours pas à ma question, dit-il.

— Suis-je vraiment obligée d'y répondre ?

Il y avait une note de supplication dans sa voix.

— Je crois, renchérit le duc, que si vous voulez

que je vous aide, il est essentiel que notre amitié soit basée sur une totale franchise.

— C'est... C'est aussi mon avis.

— Parfait ! Maintenant, puisque je vous ai posé une question, j'attends votre réponse.

— Vous allez penser que je suis... ridicule.

— Si tel est le cas, je vous le dirai. Tout comme j'espère bien entendre votre désapprobation si, au cours d'une de nos discussions, nos avis divergent.

Il y eut un silence. Puis Félicia reprit la parole.

— J'ai beaucoup réfléchi à la question. Cent fois, mille fois, j'ai retourné le problème dans ma tête. Et finalement je suis parvenue à la conclusion suivante : jamais, à cause de la façon dont mon père m'a traitée, je ne pourrai être heureuse avec un homme. Je ne me sentirai jamais détendue auprès d'un homme. J'aurais toujours au fond de moi une sorte d'appréhension incontrôlée.

Le duc s'attendait à cette réponse et sa repartie était toute prête.

— Cette supposition me paraît sans fondement et quelque peu hâtive, dit-il. Vous n'avez aucune expérience des hommes. Tous sont différents, vous savez, et ce n'est pas parce que vous avez eu la malchance et la douleur d'avoir eu à affronter très jeune, en la personne de votre père, la bêtise, l'aveuglement et la méchanceté que vous devez penser que tous les hommes sont du même acabit.

— J'en conviens, répliqua Félicia. Mais à mon avis, tout comme l'amour, la peur ne se contrôle pas. On l'éprouve ou on ne l'éprouve pas. Il n'y a pas grand-chose à faire pour l'éviter.

— Pardon de vous contredire, une fois de plus, mais je ne suis pas d'accord, dit le duc avec fermeté. La peur est une réaction primitive à une agression et, en tant que telle, elle peut se maîtriser à force de discipline et de volonté.

Tandis qu'il parlait, il vit, à l'air grave de sa pupille, que ces paroles l'impressionnaient. Elle l'écoutait, ses grands yeux fixés sur lui, attentive au moindre mot.

— Quand un soldat monte au front pour la première fois, poursuivit-il, il a peur d'être blessé ou tué et sa première réaction à la vue de l'ennemi est de fuir. C'est une réaction naturelle, et salutaire aussi, dans bien des cas, mais en l'occurrence elle doit être disciplinée, contrôlée. Lorsqu'il est parvenu à dominer sa peur, il s'aperçoit que le courage prend le dessus et qu'il anéantit la peur.

— Je comprends ce que vous dites, répliqua Félicia, et je trouve même cet argument assez convaincant, mais je sais par expérience que..., lorsqu'on est envahi par la peur... on se sent faible, sans volonté. On a du mal à respirer... on peut à peine avaler sa salive. C'est un sentiment atroce... et incontrôlable.

— Peut-être n'avez-vous jamais vraiment essayé de la dominer. Aujourd'hui, vous n'êtes plus une enfant, mais une femme. Il faut que vous vous entraîniez à obéir aux ordres, comme le soldat dont je parlais tout à l'heure, des ordres que vous vous donnerez à vous-même et qui vous interdiront de céder à la peur.

— Un soldat n'a pas à se donner des ordres à lui-même, objecta Félicia.

— Il doit exécuter ceux de ses officiers, ce qui revient à dire qu'il obéit à un ordre qu'il se donne mentalement à lui-même.

Félicia se mit à rire.

— Vous avez réponse à tout ! C'est passionnant de discuter avec vous et d'essayer de vous convaincre, de l'emporter avec des mots.

— Vous éludez le problème, dit le duc. Nous parlions de vous.

— Ce n'est pas un sujet très intéressant. Parlons d'autre chose.

Contrairement à Félicia, pensa le duc, la plupart des gens, hommes ou femmes, adoraient être au centre de la conversation, mais il se rendait compte aussi que la jeune fille cherchait à se dérober. Il reprit donc d'un ton sévère :

— J'ai fait beaucoup de choses répréhensibles dans ma vie, Félicia, mais jamais on n'a pu m'accuser de lâcheté.

Il y eut un silence que Félicia finit par rompre.

— Il est facile d'être fort et courageux... quand on n'est pas tenté d'agir... autrement.

C'était irréfutable et le duc pensa que sa pupille venait de marquer un point, mais il ne lui ferait pas le plaisir de le reconnaître.

— On ne peut pas remporter toutes les batailles. L'important, c'est de gagner la guerre. Voilà le véritable but. Rien d'autre.

— Et la guerre pour moi, ce serait... de vaincre ma peur ?

— Oui. Et je vous promets que si vous lui

déclarez la guerre, vous en viendrez à bout beaucoup plus facilement que vous ne le croyez. (Félicia laissa échapper un profond soupir.) Vous voulez des ordres ? poursuivit-il. Très bien, en voilà un : efforcez-vous de cultiver votre courage dans toutes les situations, de maîtriser vos réactions de peur face au mariage, à l'amour, aux hommes et à tout ce qui touche de près ou de loin aux relations humaines.

— Si... si j'y réussis, vous... cela vous fera-t-il plaisir ?

— J'en serai très satisfait, car cela prouvera que vous êtes devenue une jeune fille en pleine possession de ses moyens, une jeune fille épanouie et capable d'être heureuse.

Il la considéra longuement par-dessus la table, enregistrant la robe informe, la coiffure trop stricte et démodée. Malgré cela, elle était belle, d'une beauté inhabituelle qui, mise en valeur avec art, ferait sensation. Mais avant toute chose, il fallait la débarrasser de son angoisse. Il ne pouvait imaginer handicap plus lourd pour une jeune et jolie fille que de démarrer dans la vie avec la peur des hommes et du mariage chevillée au corps.

Je ferais tout ce qui est en mon pouvoir pour l'aider à dominer ses appréhensions, et nous réussirons, se dit-il, très sûr de lui.

Il se flattait d'être plus psychologue que la plupart de ses amis et de pouvoir, en toutes circonstances, prévoir les réactions d'autrui. Pourtant, il devait bien s'avouer qu'il n'avait jamais rencontré auparavant de femme qui fût effrayée par les hommes au point de ne pas souhaiter se marier.

Qu'à cela ne tienne ! se dit-il encore. Je saurai faire face à cette difficulté nouvelle et, quand j'en aurai fini avec Félicia, elle sera guérie de ses phobies et épousera un gentil mari qui l'aimera pour elle-même et non pour son argent.

En reposant son regard sur la jeune fille assise en face de lui, il remarqua qu'elle gardait un air soucieux. Il se pencha en avant :

— Ne vous inquiétez de rien, Félicia, je me charge de tout. Ayez confiance en moi. Vous savez, n'est-ce pas, que je ne veux que votre bonheur. Soyez sans crainte, quoi qu'il arrive, je ne vous pousserai pas dans vos retranchements, ni ne vous obligerai à rien que nous n'ayons au préalable discuté et décidé ensemble.

La sérénité revint dans les yeux de Félicia et elle déclara d'une petite voix hésitante :

— Vous ne me... forceriez pas à épouser quelqu'un... contre mon gré ?

Pendant un instant, le duc s'étonna qu'elle pût poser pareille question, puis il se rappela qu'il était son tuteur et qu'à ce titre, il avait tous pouvoirs sur elle.

— Je vous promets, dit-il d'un ton solennel, je vous jure même, que je ne vous contraindrai jamais à vous marier contre votre gré. Mais j'aimerais que vous compreniez une chose de votre côté : le mariage est quelque chose de très important, de capital dans la vie. Un jour, vous rencontrerez un homme dont vous tomberez éperdument amoureuse, et la lumière du soleil tout à coup illuminera le monde, chassant à jamais l'obscurité.

Il sourit en citant les mots exacts qu'elle avait utilisés un peu plus tôt pour qualifier l'amour, et Félicia lui rendit son sourire.

— Jusqu'à ce que je... me marie, je pourrai rester avec vous ?

Le duc hésita quelques secondes avant de répondre.

— Il y a un autre problème dont nous devons parler. Vous ne pouvez vivre sous mon toit, sortir, rencontrer des amis et aller dans les bals sans chaperon. Il faut que je vous en trouve un. (Il vit les yeux de Félicia s'agrandir de surprise et se hâta de poursuivre :) Vous ne pouvez me demander de vous accompagner à toutes les soirées auxquelles vous ne manquerez pas d'être invitée. J'ai une vie déjà très remplie.

Il y eut un silence et le duc se dit que sa réponse l'avait déçue, mais avant qu'il ait pu l'adoucir quelque peu, elle demanda :

— Serai-je obligée de me rendre... à toutes les soirées ?

Une fois de plus, à sa voix, à l'expression de son regard, il se rendit compte qu'elle avait peur, peur d'avoir à danser avec des hommes, d'avoir à supporter leur proximité.

Le duc prit soudain conscience que l'angoisse qui habitait Félicia n'était pas un sentiment dont elle se débarrasserait facilement. Il s'agissait d'une véritable hantise, profondément enracinée en elle, et qui allait sans doute leur causer de réelles difficultés. Il choisit de lui répondre avec précaution.

— Personnellement, les bals m'ennuient à mourir. Il y a trop de monde, trop de bruit, trop de bavardages superficiels, mais pourquoi se mettre martel en tête avant de se trouver confrontés au problème ? Chaque chose en son temps, Félicia. Pour l'instant, vous n'avez pas encore reçu une seule invitation.

Félicia sourit.

— Vous avez raison. Et peut-être n'en recevrai-je jamais aucune. (Elle le regarda fixement par-dessus la table et lui demanda tout de go :) Vous dansez bien ?

— Les femmes que j'ai eu l'honneur de tenir dans mes bras n'ont pas eu l'air de se plaindre, répliqua-t-il avec un petit sourire.

Elle ne dit rien mais, à son expression, il devina qu'elle se demandait si, un jour, il consentirait à danser avec elle.

— Bien sûr, dit-il d'une voix où perçait une pointe de dédain, je ne danse pas avec n'importe qui ! J'attends de ma cavalière qu'elle soit gracieuse et légère, et élégante de surcroît.

Félicia laissa échapper un soupir. Au même instant, un des serviteurs s'approcha du duc et murmura :

— Les couturières sont arrivées, monseigneur. On les a conduites dans la chambre de Mademoiselle.

Avec un coup d'œil à Félicia, le duc déclara :

— En piste pour la première leçon !

Au sourire qui s'esquissa sur les lèvres de sa pupille, il comprit que, comme toutes les femmes,

Félicia était ravie à l'idée d'avoir bientôt de nouvelles robes.

Très élégant dans son habit, le duc porta une coupe de champagne à ses lèvres. Il se demandait quelle toilette parmi toutes celles qu'il avait choisies, Félicia porterait ce soir.

Les couturières avaient apporté un riche assortiment de toilettes et, fort heureusement, étant donné la perfection de la silhouette de la jeune fille, plusieurs lui allaient à merveille.

Le duc en avait acheté une vingtaine, puis il en avait commandé d'autres, choisies sur des gravures et grâce aux échantillons d'étoffes que les deux femmes lui proposaient.

Au fil des années, le duc était devenu un expert en matière de mode féminine. Il savait mieux que quiconque ce qui mettait une femme en valeur ou, au contraire, l'enlaidissait. Chaque fois qu'il avait une nouvelle maîtresse, il lui offrait une nouvelle garde-robe. Une manière comme une autre de s'assurer que ses tenues seraient à son goût !

Dans le cas de sa pupille, ce qui l'amusait, c'était d'avoir à tout lui apprendre, à l'habiller de pied en cap. Lors des essayages, elle ne s'était permis aucune suggestion et n'avait même pas tenté de discuter ses choix. Elle lui faisait une confiance aveugle, se reposant entièrement sur son goût, qu'elle devinait très sûr.

Avec aisance et grâce, elle avait passé les différents modèles, les lui avait montrés dans le boudoir attenant à sa chambre. Elle marchait, virevoltait avec une élégance innée, un naturel qui lui aurait apporté le succès sur une scène de théâtre.

Elle avait les mains fines. Ses gestes étaient mesurés, pleins de charme, parfaitement justes.

Lorsque son couvre-lit eut disparu sous les robes, les tailleurs, les ensembles et les capes, elle n'y tint plus.

— Je vous en prie ! s'exclama-t-elle. Cela suffit. J'ai assez de tenues pour une année entière ! Et si ça continue, j'ai l'impression que pour les porter toutes, il faudra que je me change plusieurs fois par jour.

— Mais nous avons à peine commencé, dit le duc en riant. Il va falloir qu'on vous fasse un costume d'amazone pour monter à cheval, des costumes pour la campagne et pour toutes sortes d'autres occasions.

— Ils attendront ! s'écria-t-elle. Ou alors, je serai obligée de garder le lit. Vous m'en avez déjà tellement offert que j'en ai une indigestion !

Le duc cette fois éclata de rire.

— Très bien, dit-il. Ça ira pour aujourd'hui. Envoyez-moi les couturières, mais gardez la robe que vous avez sur vous, je l'aime beaucoup.

Elle lui sourit et il ne put s'empêcher de penser que toute cette broderie immaculée, travaillée comme seuls savaient le faire les Français, lui allait à ravir. Cela la faisait paraître encore plus jeune, plus charmante.

Il avait donné ses directives aux couturières avant de redescendre au salon avec sa pupille. Les portes-fenêtres donnant sur le parc étaient ouvertes et ils avaient marché au hasard des allées, sous les frondaisons, entre les massifs couverts de fleurs, dans l'air doré de cette fin d'après-midi.

A ses côtés, Félicia semblait danser. Elle paraissait tout heureuse d'être dehors, à l'air libre.

— Et maintenant, mademoiselle, il est temps de vous lancer dans le monde, dit soudain le duc.

— On verra si je surnage ou si je sombre.

— Chaque fois qu'on lance un nouveau navire, le dilemme est le même.

— Ce serait trop horrible pour vous si je n'étais pas à la hauteur, déclara-t-elle soudain. Vous n'avez encore jamais essuyé d'échec dans votre vie.

— Je suis prêt à parier une somme considérable que vous passerez l'examen haut la main.

Félicia lui prit le bras.

— Supposez un instant que j'échoue, que je trahisse les espoirs que vous mettez en moi ?

Elle s'exprimait d'une toute petite voix.

— Je vous l'ai déjà dit et vous devez me croire, vous allez gagner. Je suis prêt à prendre tous les paris. Et après ça, nous célébrerons votre triomphe. Que préférez-vous ? Les diamants ou les perles ? Les perles... Étant donné votre âge, je pense que les perles seront plus appropriées.

Le duc lui parlait comme il l'aurait fait avec n'importe laquelle des femmes de sa connaissance, sachant que ce style de promesses amenait toujours une lueur d'excitation dans leurs yeux et des mots émus sur leurs lèvres.

A son grand étonnement, Félicia lui lâcha le bras et s'écarta de lui. Pendant quelques instants, ils marchèrent en silence.

— Qu'y a-t-il ? demanda-t-il.

— Vous plaisantiez... n'est-ce pas ?

— A quel propos ?

— Quand vous parliez de m'offrir des... bijoux.

— J'étais très sérieux. Vous n'en possédez aucun et les femmes raffolent de ce genre de babioles.

— Mais... pour rien au monde je ne voudrais recevoir... un tel présent de vous, dit Félicia très bas, quoique distinctement.

Le duc la regarda, stupéfait.

— Et pourquoi donc ?

— Parce que vous en avez déjà distribué beaucoup et que... je n'ai pas envie d'être assimilée à celles à qui sont allées vos largesses.

Le duc ne répondit rien tout d'abord, puis demanda sèchement :

— Que savez-vous des cadeaux que j'ai « distribués » comme vous dites ? Qui vous a raconté ces histoires ?

— Per... personne en particulier. Ce sont des bruits qui courent.

— Précisez !

— Eh bien... il paraît que les femmes qui vous plaisent et qui... ont eu des bontés pour vous s'attendent à ce que vous soyez très généreux envers elles...

— Qu'y a-t-il de répréhensible à cela ?

— R... rien, bien sûr ! J'imagine mal que vous... puissiez faire quelque chose de répréhensible, mais... ces femmes... elles me paraissent bien avides. Comme si elles souhaitaient devenir vos... vos amies pour profiter de votre prodigalité. (Elle marqua une pause, puis continua :) En ce qui me concerne, c'est moi qui... aimerais vous offrir quelque chose pour vous remercier de tout ce que vous avez fait pour moi. Le contraire me semblerait anormal.

Bien qu'étonné, le duc comprenait la logique de ce raisonnement. Il s'émerveillait de la façon dont fonctionnait son esprit. En surface, Félicia était une petite personne tout à fait sensée et raisonnable mais, sous les apparences, elle était très sensible et d'une personnalité complexe et totalement désintéressée.

Il doutait cependant qu'elle sût exactement de quelle nature étaient les relations qu'il entretenait avec les femmes auxquelles il dispensait ses largesses. Elle était trop jeune et trop inexpérimentée des choses de la vie.

— Vous m'avez mal compris, Félicia, précisa-t-il. Les perles dont je parlais, c'est votre tuteur qui vous les offre, très officiellement.

Au sourire qui illumina de nouveau le petit visage, le duc vit que Félicia n'avait pas pensé à cela sous cet angle, mais elle était rassérénée.

— Dans ce cas, c'est différent, murmura-t-elle. Mais alors, promettez-moi qu'il ne s'agira pas d'un présent trop dispendieux. (Il allait la rassurer sur ce sujet, quand elle reprit :) Quant au cadeau que je voudrais vous faire, j'aimerais que ce soit une surprise. A ce propos, vous ne m'avez pas encore dit de combien d'argent je dispose, ni combien je peux en dépenser.

— Pour la bonne raison que je ne le sais pas encore exactement moi-même, répondit le duc. Tout ce que je peux vous dire, c'est que vous pouvez en dépenser beaucoup sans vous ruiner !

Félicia laissa échapper un cri de joie.

— Dans ces conditions, je sais exactement ce que je vais vous offrir.

Le duc ouvrit la bouche pour protester qu'il ne voulait pas de cadeau, qu'il avait déjà tout ce qu'il pouvait désirer, mais il se ravisa. Il n'allait pas lui gâcher son plaisir et puis, il devinait que si elle pouvait par là lui exprimer sa gratitude, elle accepterait plus volontiers les présents qu'il comptait lui faire.

En tant qu'héritière d'une grosse fortune, elle se devait de porter des bijoux. Déjà le duc en dressait l'inventaire : un collier de perles, un fin bracelet de diamants, une ou deux broches.

Deux étoiles de diamants pour retenir ses cheveux dans les grandes occasions rehausseraient encore sa beauté.

Il se sentait une âme d'imprésario sur le point de faire connaître au public une nouvelle prima donna, et souhaitait que l'apparition de sa protégée fasse sensation.

— Elle va remporter un triomphe, se dit-il avec l'assurance d'un homme habitué à gagner sur tous les tableaux et persuadé qu'il avait la situation bien en main.

4

Lorsqu'ils eurent fini de dîner, tandis qu'ils se levaient de table, le duc se surprit à penser qu'il venait de passer un moment très agréable.

Quand il s'était présenté au couvent, le matin même, avec l'intention louable de s'occuper de sa pupille, cette perspective ne l'enchantait guère. Il se voyait déjà obligé de passer plusieurs jours avec elle et l'idée d'avoir à supporter le bavardage insignifiant d'une jeune pensionnaire l'ennuyait à mourir. Jamais il ne s'était trouvé confronté à pareille expérience, mais il ne se faisait guère d'illusions : ce ne serait pas une partie de plaisir.

Très vite cependant, il avait dû reconnaître qu'il s'était trompé. Non seulement Félicia était d'une intelligence au-dessus de la moyenne, mais elle avait aussi acquis une grande culture, tant littéraire qu'artistique. La conversation, durant le dîner, avait roulé sur les sujets les plus divers, et ils avaient eu des débats animés sur les œuvres de plusieurs écrivains et poètes en vogue, dont lord Byron. Loin de s'ennuyer, le duc s'était même beaucoup amusé.

— Passons au salon, dit-il. Je suppose que vous n'avez pas envie de sortir, ce soir ?

— Sortir ? répéta Félicia. Mais où pourrions-nous aller ?

Le duc sourit.

— Paris est une ville très gaie, et en ce moment même des soirées battent leur plein chez plusieurs de mes amis. Si nous le voulions, nous y serions accueillis à bras ouverts.

Depuis le matin, le nombre des lettres et cartons d'invitation qui l'attendaient sur le plateau d'argent dans l'entrée avait doublé. Il n'avait même pas pris la peine de les ouvrir, sachant que, dans la plupart des cas, il s'agissait de fêtes ou de soupers où il ne pouvait décemment pas emmener une jeune fille fraîchement sortie du couvent.

— Oh ! Je vous en prie, pas ce soir, supplia Félicia. Je préférerais rester ici, avec vous. J'aime vous entendre et vous parler et comme vous me l'avez fait remarquer tout à l'heure, j'ai encore beaucoup à apprendre.

Le duc n'insista pas. Pourquoi la bousculer ? Demain, elle serait reposée, et il la présenterait à un ou deux de ses amis. Peut-être même la ferait-il inviter à un dîner où elle pourrait rencontrer quelques personnalités du monde des lettres parisien ?

Ils regagnèrent le salon. Les lustres et les candélabres de cristal brillaient de tous leurs feux, accrochant des reflets ambrés aux ors des commodes et des fauteuils Louis XV, aux tableaux et aux porcelaines de Sèvres. Félicia joignit les mains et dit, sans pouvoir contenir son enthousiasme :

— A présent je comprends mieux ce qu'on entend par élégance en matière de décoration ! Cette pièce est une merveille de goût et d'équilibre.

Le duc allait lui répondre lorsqu'un des valets vint annoncer que le comte d'Avallon demandait à être reçu. Tandis que le duc hésitait sur la décision à prendre, une voix enjouée leur parvint et le comte franchit le seuil du salon.

— Ainsi, Darlington, vous êtes à Paris et vous ne faites pas signe à vos amis ?

Les deux hommes étaient sensiblement du même âge et se connaissaient depuis plusieurs années. Le comte d'Avallon était propriétaire d'un des plus jolis châteaux de la Loire, et il avait la réputation d'être un des hommes les plus spirituels de Paris. Toutes les maîtresses de maison se l'arrachaient. Marié très jeune, il avait perdu sa femme cinq ans auparavant.

Bien de sa personne, héritier d'une vieille et noble famille française, il était le gendre idéal et l'objet d'une concurrence acharnée de la part des mères de filles à marier.

— Henri ! s'exclama le duc. Quel plaisir de vous voir !

— Pourquoi ne m'avez-vous pas prévenu de votre arrivée, Darlington ?

— J'ai quitté Londres hier sans avoir eu le temps d'avertir quiconque, expliqua le duc.

— Allons, vous êtes pardonné! L'important, c'est que vous soyez de nouveau parmi nous.

Henri d'Avallon jeta un coup d'œil interrogateur du côté de Félicia, se demandant sans détour qui était cette ravissante jeune personne. Félicia avait battu en retraite pour se réfugier près de la cheminée. Le duc préféra ne pas approfondir l'expression qu'il lut dans ses yeux.

Pour sa soirée en tête à tête avec lui, elle avait choisi de porter une des toilettes les plus seyantes de celles qu'il lui avait offertes. La robe était blanche, comme le veut la tradition pour les débutantes, mais rebrodée de fils d'argent. Des rubans d'argent formaient la ceinture, rendant sa taille menue encore plus mince et, sous la jupe large aux multiples volants, on voyait dépasser le bout d'une paire d'escarpins argent.

Dans la lueur irréelle des bougies, elle semblait scintiller doucement et sa beauté paraissait presque immatérielle.

Tandis que le duc s'approchait d'elle avec son ami, il fut frappé du changement qui s'était opéré en elle. Sous le sourire de commande, on la sentait affolée et terriblement tendue. Ses mains étaient crispées et elle s'efforçait de les empêcher de trembler. On devinait qu'elle faisait des efforts désespérés pour rester calme, pour ne pas planter là les deux hommes et s'enfuir à toutes jambes.

— Ma pupille vient de terminer ses études et je suis venu à Paris pour la chercher. Je la ramène à Londres dans quelques jours. Elle était pensionnaire dans un couvent, non loin de la capitale, expliqua le duc à l'intention du comte. Permettez-moi, Félicia, de vous présenter un de mes vieux amis, le comte d'Avallon. Henri, voici Félicia Darlington.

Il n'y avait pas à s'y tromper, c'était bien de l'admiration qui se reflétait dans les yeux d'Henri d'Avallon lorsqu'il s'inclina pour saluer la jeune fille.

— Enchanté, mademoiselle, dit-il d'une voix où perçait une émotion sincère.

Félicia plongea dans une petite révérence mais sans lui tendre la main. Le duc s'avisa qu'elle tremblait malgré un effort surhumain pour se contrôler.

— Je ne savais pas que vous aviez une pupille à Paris, dit le comte. Et ravissante qui plus est ! (Il sourit à Félicia et poursuivit :) A présent que vous avez fini vos études, mademoiselle, j'imagine que vous allez pouvoir vous amuser. Sachez que Paris et ses Parisiens sont à votre disposition pour vous y aider.

— Je vous remercie... monsieur.

La voix de Félicia était à peine audible et, en voyant l'expression de son regard, le duc dut admettre qu'elle n'avait pas exagéré en lui avouant que les hommes l'effrayaient.

Pour la première fois, il prit conscience de la gravité de cette phobie et comprit pourquoi la mère supérieure l'avait évoquée avec cette insistance.

Pour détourner l'attention du comte, il se mit à parler chevaux et courses. Mais, tout en répondant à ses questions, Henri d'Avallon ne quittait pas Félicia des yeux. Manifestement, songea le duc, sa beauté le fascinait et il était sous le charme.

Félicia ne fit aucun effort pour se mêler à la conversation. Elle resta debout devant la cheminée pendant un moment encore puis, comme si tout d'un coup ses jambes ne la portaient plus, elle se laissa tomber dans un fauteuil, les mains toujours crispées.

— Pourquoi passer votre première nuit à Paris entre ces murs, dit soudain le comte, alors qu'il y a tant de choses à voir et à faire dans la capitale ? Je suis sûr que mademoiselle votre pupille apprécierait beaucoup de sortir un peu.

— J'ai prévu de l'initier à partir de demain seulement aux mondanités parisiennes.

— A mon avis, nous devrions commencer tout de suite et lui faire connaître dès ce soir les beautés de Paris la nuit, rétorqua le comte. (Le duc fronça les sourcils et son ami précisa avec un sourire :) Pas notre Paris de mauvais garçons, Darlington, mais le Paris qui renaît de ses cendres après la révolution de l'année dernière. Il y a maintenant d'autres lumières dans les rues que les feux allumés par les insurgés, et je ne pense pas que mademoiselle votre pupille ait déjà vu les péniches illuminées qui glissent sur la Seine.

Le duc hésita un moment, puis songea que malgré sa peur, il fallait bien qu'un jour ou l'autre Félicia se lance, qu'elle apprenne à se dominer.

— Bonne idée, Henri ! Félicia sera sûrement ravie de découvrir Paris la nuit. Irons-nous dans votre voiture ou dans la mienne ?

— Prenons la mienne, proposa le comte. Elle nous attend devant votre hôtel, la capote est baissée et mon cocher connaît parfaitement mes goûts en matière de promenades.

Son regard rencontra celui du duc. Une lueur d'amusement y dansait à laquelle le duc répondit par un clin d'œil complice. Les deux hommes savaient que ce n'était pas la première fois que le comte proposait à une jeune et jolie femme de lui faire faire le tour de Paris la nuit.

— Allez vite chercher votre cape, Félicia, dit le duc.

Elle se leva en lui adressant un regard suppliant qui disait clairement qu'elle aurait cent fois préféré refuser de lui obéir, mais qu'elle ne voulait pas lui faire de peine.

— Je suis sûr que vous trouverez cela très amusant, Félicia, dit-il d'un ton ferme. Dépêchez-vous, nous vous attendons.

Docilement, Félicia s'exécuta. Quand elle eut quitté le salon, le comte se pencha vers son ami :

— Mon Dieu, Darlington ! Où avez-vous déniché une aussi jolie créature ? Elle est ravissante ! Quand je pense que j'ai la chance de faire la connaissance de cette merveille avant tout le monde ! Je n'arrive pas à y croire.

— Félicia vient tout juste de quitter le couvent. Je suis allé la chercher ce matin.

— Je suis le plus heureux des hommes ! Je suppose que vous souhaitez venir avec nous ? Je donnerais la moitié de mon royaume pour rester seul avec elle.

— Elle refuserait de vous accompagner, sourit

le duc. Je vous préviens, Henri, j'ai l'intention d'être un chaperon intraitable. Félicia ne connaît rien du monde.

— Voilà pourquoi elle a l'air si pure, si limpide, dit le comte tout bas.

Son ardeur tout à coup irrita le duc. Si son ami se montrait trop pressant, trop insistant, il allait sûrement effrayer Félicia et ne ferait que renforcer sa terreur des hommes.

— Écoutez, Henri, expliqua-t-il, Félicia est jeune et sans expérience. Je ne veux pas que vous la troubliez ni que vous l'effarouchiez.

Le comte regarda son ami, stupéfait.

— Que vous arrive-t-il, Darlington ? Vous cherchez à me décourager avant même que je ne me sois lancé ?

— Je vous recommande seulement de ne pas vous précipiter.

— J'essaierai de tenir compte de vos conseils, mais je dois avouer que je suis bouleversé. J'ai le très net sentiment que je suis en train de tomber amoureux.

— Je vous rappelle que je suis le tuteur de cette enfant et que, même si vous êtes sérieux, ce dont je doute, je ne vous laisserai pas perturber ma pupille.

Le comte ne répondit pas car Félicia choisit cet instant précis pour les rejoindre au salon. Enveloppée d'une cape de velours bleu nuit, elle ressemblait à une madone. L'appréhension qui habitait son regard faisait paraître ses yeux encore plus grands.

— Je suis... prête, dit-elle d'une voix tremblante en s'adressant au duc.

— Cette promenade fait partie de votre éducation, dit-il. Vous verrez, la leçon promet d'être passionnante.

— En tant que professeur, j'espère que vous l'apprécierez, ajouta le comte.

Le duc remarqua que Félicia évitait de regarder le comte. Ils gagnèrent le hall d'entrée et sortirent sur le perron devant lequel les attendait la calèche du visiteur.

C'était une voiture très élégante et légère, tirée par deux chevaux de race. Deux valets en livrée se tenaient debout à l'arrière, sur des marchepieds. Le cocher avait replié la capote de façon à ce que l'on pût découvrir Paris sans être gêné.

Le duc offrit son bras à Félicia pour l'aider à monter. Elle prit place sur les sièges de cuir noir et lui jeta un coup d'œil suppliant qu'il n'eut aucun mal à interpréter.

Il faillit demander au comte de s'asseoir auprès d'elle puis, de peur de sa réaction, se ravisa et s'installa à ses côtés. Le comte s'assit en face d'eux et se mit à dévorer Félicia des yeux. La plupart des femmes eussent été flattées de cet hommage silencieux à leur beauté, mais Félicia refusait obstinément de croiser le regard de braise de son admirateur.

Un valet étendit un plaid sur leurs genoux et l'équipage s'ébranla. Ils descendirent les Champs-Elysées. Quand ils atteignirent la place de la Concorde, Félicia qui regardait de tous ses yeux, poussa un petit cri de joie.

Elle avait lu dans le journal que le vice-roi d'Égypte avait fait cadeau à la France d'un obélisque vertigineux taillé et gravé par les anciens Égyptiens, quelque quatre mille ans auparavant. Il avait été érigé entre deux merveilleuses fontaines et, à la lueur du clair de lune, le spectacle était à la fois harmonieux et féerique.

— C'est si beau que c'en est presque irréel ! s'exclama Félicia qui pour un instant semblait avoir oublié toute crainte.

Le comte se pencha vers elle.

— C'est exactement comme cela que je vous vois : trop belle pour être réelle, murmura-t-il.

Félicia recula comme si un serpent l'avait mordue. Elle se rencogna dans son siège et se rapprocha de son tuteur de telle sorte qu'il put se rendre compte que son corps tout entier était secoué de tremblements.

De peur qu'elle ne se mette à pleurer ou qu'elle ne laisse échapper un mot ou une phrase révélatrice, le duc lui prit la main sous le plaid. Ses doigts s'agitèrent nerveusement, cherchant à échapper à son emprise, puis ils s'apaisèrent et il se dit avec satisfaction qu'il avait réussi à la calmer.

Ils quittèrent la place de la Concorde et empruntèrent une rue qui longeait la Seine. Le comte désigna du doigt à Félicia les péniches qui remontaient lentement le courant, avec leurs guirlandes de lampions jaunes et rouges se reflétant dans l'eau noire. Sur l'une d'elles, un orchestre jouait des airs à la mode.

Le duc espérait que le comte n'avait pas remarqué la réaction de Félicia, une réaction qui n'augurait rien de bon pour le futur. Si le comte s'apercevait du malaise qu'éprouvait la jeune fille, malaise dont il pouvait s'imputer la responsabilité, il ne manquerait pas de faire des confidences à quelques-unes de ses amies et Félicia serait grillée sur la scène de Paris, avant même d'y avoir fait son apparition.

Le duc décida de parler à son ami de façon à ce que, tout occupé de leur discussion, il ne puisse s'adresser à Félicia. Le cocher les emmena jusqu'à Notre-Dame, puis leur fit découvrir des petites rues romantiques bordées de vieilles maisons toutes de guingois. Passionnée par la visite, Félicia avait un peu oublié son appréhension. Le duc constata avec soulagement qu'elle ne s'agrippait plus à lui avec autant de force désespérée.

— Quels sont les opéras auxquels vous avez assisté avec vos compagnes, Félicia ? demanda le duc. La mère supérieure m'a dit qu'elle vous avait autorisées à en voir certains, soigneusement choisis par ses soins.

Pour la première fois depuis le début de la promenade, un petit sourire se dessina sur les lèvres de la jeune fille.

— Les plus ennuyeux, bien sûr !

— On va remédier à cela et essayer de vous en trouver un plus divertissant. Je pense qu'un ballet vous plairait davantage...

— Ma loge est à votre disposition quand vous le désirerez, proposa le comte avec empressement.

— Merci, Henri, répondit le duc. Je verrai si nous pouvons faire cadrer votre offre avec notre programme.

— Mais je l'espère bien, et j'ai l'intention aussi de vous aider à l'organiser, ce programme. Je suggère notamment que demain, par exemple, Félicia et vous veniez avec moi faire un tour au Bois et que nous déjeunions ensemble après. Qu'en dites-vous ?

Les doigts de Félicia se resserrèrent autour des siens et le duc en déduisit qu'elle n'avait pas la moindre envie de passer une partie de la journée avec le comte.

— C'est très aimable à vous, répondit le duc sans tenir compte de la protestation de Félicia. Ce que j'aimerais, c'est que vous élargissiez quelque peu votre invitation. Je crois qu'il est important que ma pupille rencontre des jeunes gens de son âge.

Le ton sur lequel le duc s'était exprimé ne laissait aucun doute sur la signification de sa phrase. Le comte ne s'en offusqua pas. Il se contenta de sourire et de répondre, les yeux brillants de malice :

— Que vous le vouliez ou non, Darlington, je me considère toujours comme un jeune homme. Je demanderai à ma sœur de m'accompagner. Personnellement, je trouve beaucoup plus agréable d'être en petit comité plutôt qu'au milieu d'un groupe bavard et dissipé.

— En ce cas, j'espère que nous pourrons accepter votre invitation, répliqua le duc.

Les deux hommes se mesurèrent du regard, puis le comte dit avec un petit rire :

— Vous voilà métamorphosé en vieux chaperon, empêcheur de tourner en rond ! Je ne vous aurais jamais imaginé dans ce rôle, Darlington !

— L'inattendu surprend toujours.

Le comte rit de plus belle.

La promenade se poursuivit pendant près de trois quarts d'heure, puis le duc insista pour rentrer.

— La journée a été longue, Henri, et je pense que Félicia a besoin d'aller se coucher.

— Bien sûr, approuva le comte. Mais la nuit est toute neuve encore, Darlington, et je connais une belle jeune femme qui attend avec impatience votre visite.

Le duc se rendait bien compte que son ami se vengeait en essayant de le faire passer, aux yeux de Félicia, pour un don Juan.

— Je doute fort que la belle jeune femme en question attende, mais si c'est le cas, la pauvre risque d'attendre longtemps. Le voyage de Calais jusqu'ici m'a paru très long et très ennuyeux, et j'ai hâte de retrouver mon lit.

— Mon Dieu, Darlington ! Vous baissez, mon cher ! Je me souviens d'une époque où vous ne vous couchiez jamais avant l'aube. (Le duc ne répondit pas et le comte poursuivit :) Il y avait toujours alors une ravissante créature prête à vous accueillir et à vous distraire, le jour comme la nuit.

— Il y a quelqu'un qui m'attendra de pied ferme, demain matin, qui n'est autre que Félicia. Nous avons beaucoup à faire ensemble. Si vous voulez nous emmener au Bois, venez nous prendre vers midi. Nous serons très occupés jusque-là.

— Quel grand seigneur ! Et je dois vous être

reconnaissant de daigner me consacrer ces quelques instants !

La calèche s'arrêta devant la demeure du duc. Le comte descendit en premier, mais le duc s'arrangea de façon à aider Félicia à mettre pied à terre.

— Merci, monsieur, dit-elle au comte avant de disparaître dans la maison.

— Elle est très jeune et très timide, dit le duc quand elle fut hors de portée de voix.

— Mais charmante, vraiment charmante ! ajouta le comte.

Le duc lui tendit la main.

— Bonne nuit, Henri. Je ne vous propose pas d'entrer, car je vais de ce pas me retirer pour me mettre au lit.

— Je vous trouve bien autoritaire, Darlington, et je ne comprends pas la raison d'un tel revirement.

— Il n'y a rien à comprendre. Permettez-moi seulement de vous dire que vous êtes beaucoup trop impétueux, trop sophistiqué et trop pressant pour une personne aussi jeune et inexpérimentée que Félicia.

— Et vous, Darlington ? Vous vous croyez peut-être très différent de moi ? Parfait, mon cher, je relève le défi. Nous verrons bien qui gagnera la bataille.

Le comte prit place dans son attelage et, tandis que son valet fermait la portière, il se pencha en avant et dit :

— Au revoir, Darlington ! Je compterai les heures jusqu'à ce que je la revoie.

Il y avait de la provocation dans sa voix et le duc fronçait les sourcils en rentrant dans le hall. Comme il le prévoyait, Félicia l'attendait dans le salon. Elle avait ôté sa cape et, quand le duc franchit le seuil de la pièce, elle courut au-devant de lui.

— Je vous en prie, supplia-t-elle. Je ne veux pas aller déjeuner avec votre ami. Je... je ne l'aime pas. Il me... fait peur.

Tout en parlant, elle tendit les mains comme pour s'agripper à lui, mais il s'écarta et marcha vers la cheminée où il s'adossa pour lui faire face.

— Je tiens à vous féliciter, Félicia, dit-il. J'ai vu combien vous étiez effrayée, mais vous avez réussi à vous dominer. Bravo !

— J'ai eu peur... très peur quand il s'est mis à me parler comme il l'a fait.

— De quoi aviez-vous peur ? Votre père vous battait. Il était normal qu'il vous fasse peur, mais le comte ? Il est incapable de vous faire le moindre mal.

Il y eut un silence, puis la voix de Félicia s'éleva, une toute petite voix, à peine audible.

— Il... il aurait pu me toucher !

— Et alors ? Qu'y aurait-il eu de si terrible ? Il vous trouve très jolie et tient à vous le faire savoir. C'est plutôt flatteur.

— Il... me fait peur, répéta Félicia. Quand il s'est penché vers moi, j'ai senti mon cœur s'affoler dans ma poitrine. Je voulais parler mais je ne le pouvais pas. Les mots restaient bloqués dans ma gorge.

— Heureusement, le comte ne s'est aperçu de

rien ! Ce qui veut dire, Félicia, que vous êtes dans le bon chemin.

— Je... je n'aime pas la façon dont il... me regarde.

— Il vous admire. Il pense que vous êtes la plus jolie jeune fille qu'il ait jamais vue. Il me l'a dit. Et croyez-moi, c'est un connaisseur ! De sa part, c'est un très beau compliment.

Félicia ne répondit pas.

— Dieu du ciel ! Tout cela est ridicule ! reprit le duc. La plupart des femmes seraient ravies à l'idée d'avoir été remarquées par un homme comme le comte. Il est beau, sportif, noble, riche. Un des meilleurs partis de la place !

Tout occupé à rassurer Félicia, le duc ne se rendit pas compte de ce que ses paroles pouvaient impliquer. Félicia ne put retenir un cri horrifié.

— Que dites-vous ? Seriez-vous en train de suggérer qu'il... songe à... m'épouser ?

— Et pourquoi pas ? De nombreux hommes, j'en suis sûr, auront envie, eux aussi, de vous demander en mariage.

— Mais je vous ai dit que je ne me... marierai jamais. Jamais... jamais... jamais ! s'écria-t-elle d'une voix aiguë.

Le duc la regarda, surpris, et vit qu'elle avait les yeux pleins de larmes.

— Pourquoi faut-il que vous gâchiez cette merveilleuse journée ? dit-elle en tapant du pied. Pourquoi tenez-vous tellement à me parler... mariage et à me vanter les mérites de ces hommes... alors qu'ils me font si peur ? Je préférerais retourner au couvent plutôt que de revoir le comte ! Je le déteste !

Sa voix haut perchée parut se répercuter à l'infini sur les murs du salon. Elle resta un moment immobile, puis fit volte-face et s'enfuit en courant, claquant la porte derrière elle.

Abasourdi, le duc ne fit pas un geste pour la retenir. Quand elle eut disparu, il traversa la pièce, s'arrêta devant le guéridon où l'attendait une bouteille de champagne dans son rafraîchissoir, et se servit une coupe tout en se demandant ce qu'il allait bien pouvoir faire d'elle.

Le lendemain matin, Félicia était pleine de remords. Consciente qu'elle s'était très mal conduite la veille, elle avait décidé d'aller rejoindre le duc pour s'excuser, tandis qu'il prenait son petit déjeuner à huit heures dans le jardin.

Il se leva à sa vue, ne pouvant s'empêcher de la trouver bien jolie dans sa robe de mousseline bleu jacinthe, si semblable à la couleur du ciel.

— Bonjour, Félicia !

Elle fit une courte révérence, puis leva les yeux vers lui et dit d'une toute petite voix :

— Je... je suis désolée... Je me suis si mal conduite... Vous avez été si bon, si merveilleux avec moi. Je ne sais comment m'excuser.

— Oublions cela, dit le duc. Il est trop tôt pour le drame...

Félicia lui sourit.

— Oui..., bien sûr... mais néanmoins je regrette mon attitude.

— Je vous conseille un petit déjeuner anglais

consistant, au lieu des croissants au beurre qu'affectionnent les Français, dit le duc. Il est important de bien commencer la journée.

— Je crois que je l'ai plutôt mal commencée ! répliqua Félicia avec un petit rire. Je ne me sens pas très fière de moi ce matin, mais si vous promettez de me pardonner, c'est... c'est tout ce qui m'importe.

— Je vous pardonne, pourvu que je n'aie pas de scène pendant mon petit déjeuner ! Je tiens beaucoup à ma paix et ma tranquillité, tôt le matin.

— Soyez sans crainte, je ne vous dérangerai pas. Je ne dirai plus un mot jusqu'à ce que vous ayez fini de lire vos journaux.

— Voilà le comportement que toute femme raisonnable devrait adopter ! approuva le duc.

Tout en parlant, il prit le journal posé près de lui et lut, dans la colonne réservée aux mondanités, qu'on annonçait son séjour en France. Il séjournait, disait-on, dans son hôtel particulier de l'avenue des Champs-Elysées.

Cette information, il le savait, aurait pour conséquence un surcroît de messages et d'invitations. Son secrétaire français, sélectionné avec soin par Mr Ramsgill, l'avait déjà prévenu qu'une pile de lettres l'attendait sur son bureau. Le duc feuilleta le journal, prit connaissance des nouvelles qui l'intéressaient, puis le plia et le posa sur la table à côté de lui.

— Étant donné que je ne tiens pas à ce que vous vous mettiez de nouveau dans tous vos états, comme hier soir, j'ai envoyé un mot au comte d'Avallon pour l'avertir que nous ne pourrons pas déjeuner avec lui.

Les yeux de Félicia s'illuminèrent et le duc crut voir un morceau de ciel s'y refléter.

— Merci, dit-elle. Merci... infiniment.

— J'espère seulement, dit le duc, que vous n'allez pas prendre en grippe tous mes amis. Certains ont été charmants avec moi lors de mes précédents séjours dans cette ville.

— Si vous le voulez, je peux fort bien... assister à ce déjeuner avec le comte. Je m'efforcerai de faire bonne figure.

— Je l'ai annulé, n'en parlons plus ! En revanche, j'ai l'intention de vous emmener à une fête ce soir, et j'espère que je n'aurais pas droit à une nouvelle scène. Vous devez vous efforcer de prendre la vie du bon côté. Elle n'est pas aussi noire que vous le pensez, et les hommes ne sont pas tous des dragons, loin de là !

— Vous avez raison. Je vous promets de faire des efforts. J'aimerais tellement vous plaire. Je prie Dieu qu'Il me donne la force de faire ce que vous me demandez.

Il y avait quelque chose de si pathétique dans son intonation que le duc s'adoucit. Il savait qu'elle disait vrai quand elle lui expliquait qu'il lui était impossible de contrôler son angoisse. Pourtant, pour son bien, il fallait qu'elle mette toute son énergie à la combattre et à la surmonter.

Avec un sourire que toutes les femmes s'accordaient à trouver irrésistible, le duc se pencha vers elle par-dessus la table et lui tendit la main.

— Vous me plairez si vous vous contentez d'être belle et aimable avec tous ceux que vous rencontrerez. Promettez-moi que vous essaierez.

Félicia glissa sa main dans la sienne.

— Vous savez que tel est mon plus cher désir. Oui... oui, j'essaierai. Je vous en prie, ne soyez pas fâché contre moi. Je ne le supporte pas.

Elle dit cela avec un tel accent de sincérité que le duc en fut touché. Avant de se dégager, il pressa doucement la petite main blottie dans la sienne.

— Voici ce que je vous propose, dit-il d'un ton décidé. Je prends connaissance de mon courrier et, dès que j'ai fini, je vous emmène faire un tour au Bois avant d'aller faire nos emplettes.

— Je croyais que les hommes détestaient ce genre d'occupation futile.

— Je vous accompagne parce que je ne crois pas que vous puissiez vous passer de moi. Vous ne connaissez pas encore Paris, et puis, il y a certaines choses que j'aurai plaisir à choisir pour vous, telles qu'un nécessaire de voyage, des ombrelles...

Tout en lui parlant, il songeait à toutes les femmes à qui il avait offert des colifichets de ce genre. Cette fois, cependant, ce serait différent, car au contraire de ses conquêtes qui avaient généralement une opinion et des goûts très arrêtés, Félicia trouverait sûrement parfait tout ce qu'il choisirait pour elle.

Qu'une jeune femme ravissante le regardât avec admiration, et presque de la dévotion, était pour lui quelque chose de nouveau et qui avait un côté fascinant.

Pour elle, il représentait saint Georges. Elle ne le voyait pas comme un homme de chair et de sang. Pas un instant elle ne s'imaginait qu'il pût la toucher.

A cette idée, le duc ne put s'empêcher de sourire. La plupart des femmes qu'il connaissait cherchaient tous les prétextes pour le toucher ou provoquer ses caresses. Souvent même, il avait trouvé irritante leur insistance. Leurs mains étaient partout, sur son bras, sur son genou. Leurs lèvres étaient toujours offertes, même s'il n'en avait pas envie.

Félicia, elle, le considérait comme un saint, un chevalier sans peur et sans reproche qui saurait la défendre et la protéger quoi qu'il advienne, mais qui était dépourvu de désirs. Elle acceptait qu'il ait eu des femmes dans sa vie, beaucoup de femmes. Elle trouvait même que ce fait ajoutait encore à son prestige et à son charme.

— Quelle chance ! Je suis impatiente d'aller faire ces courses avec vous.

— Si cela vous convient, nous pourrons ensuite déjeuner au Bois. On m'a parlé d'un restaurant qui vient d'ouvrir et qui est réputé pour sa bonne cuisine. Je pense que cela vous amusera de déjeuner sous les arbres.

Félicia applaudit, le visage rayonnant de plaisir.

— C'est une idée merveilleuse ! Mais... s'il vous plaît... s'il vous plaît, n'invitez personne d'autre.

— Je n'ai jamais eu l'intention de le faire.

La matinée se déroula comme il l'avait prévu.

Il emmena Félicia dans une boutique luxueuse de la rue de la Paix où il lui laissa choisir plusieurs ombrelles de différentes couleurs pour les assortir avec chacune de ses toilettes. L'une avait même un manche incrusté de pierres semi-précieuses.

Il lui commanda aussi un nécessaire de voyage où se côtoyaient flacons, boîtes et brosses de toutes tailles, sur lesquels il demanda que l'on grave ses initiales en lettres de turquoise.

Félicia était ravie, d'autant, lui précisa-t-elle, que la turquoise était une pierre qu'elle aimait beaucoup.

— Maman avait un anneau de turquoise. Elle disait toujours qu'il lui portait bonheur. A sa mort, papa l'a vendu.

— Je vous en offrirai un nouveau, dit le duc.

— Non... non ! Il n'en est pas question, s'écria Félicia. Vous m'avez déjà tellement gâtée ! Ce n'est pas pour cela que je vous racontais cette anecdote... Je voulais dire simplement que les turquoises ont la réputation de porter bonheur.

— J'aime vous faire des présents, répliqua le duc, et je vous offrirai un anneau de turquoise, soit pour votre anniversaire, soit à Noël. Vous ne comprendriez pas qu'au matin de Noël, votre tuteur soit le seul à ne pas vous avoir fait de cadeau...

— Non, vous avez raison, murmura Félicia. Mais maintenant que je sais que j'ai moi aussi de l'argent et que je peux vous offrir des cadeaux, je me sentirai moins gênée.

— Vous devez apprendre à accepter les présents avec grâce, tout comme les compliments. Il n'y a aucune raison pour qu'ils vous embarrassent.

Félicia soupira et il devina qu'elle faisait un gros effort sur elle-même pour ne pas lui dire qu'elle ne supportait pas les hommages masculins. Elle réussit à ne pas laisser transparaître son sentiment et, tout en changeant de sujet, le duc sourit.

Au restaurant, le maître d'hôtel les conduisit à une très bonne table, à l'ombre d'un arbre. A peine étaient-ils assis qu'un garçon apporta un seau à glace avec une bouteille de champagne. Le duc consulta le menu avec attention et se chargea de commander leur repas.

— Maintenant, nous pouvons parler, dit-il quand ils furent de nouveau seuls. Quel sujet allons-nous aborder aujourd'hui ?

Félicia allait lui répondre lorsqu'une voix masculine toute proche se fit entendre :

— Bonjour, monsieur. Bonjour, ma cousine.

Surpris, le duc leva la tête pour considérer le nouveau venu. Devant eux, se dressait un grand jeune homme brun, manifestement anglais. Le duc chercha à mettre un nom sur ce visage, mais sans succès.

— Je vous connais ? demanda-t-il.

— Je suis un de vos parents éloignés, monsieur. Je me présente : Denis Arlen.

Le duc fronça les sourcils, son expression se durcit et Félicia laissa échapper une exclamation horrifiée.

— C'est... c'est vous qui m'avez écrit ?

— Oui, ma cousine, c'est moi. Et j'ai été très

déçu de voir que vous n'aviez même pas pris la peine de me répondre. J'avais hâte de vous rencontrer.

— Mais... je n'en avais, moi... aucun désir...

Elle s'exprimait avec colère et Denis Arlen la dévisagea d'un air étonné.

— Je croyais que vous seriez intriguée par ma lettre.

— J'aimerais vous parler, Arlen, dit le duc en se levant pour entraîner le jeune homme à l'écart.

Quand le duc fut certain que Félicia ne pouvait les entendre, il reprit la parole :

— Mettons les choses au clair une fois pour toutes, monsieur. Félicia Darlington est ma pupille et, en tant que telle, elle est sous ma responsabilité. J'ai lu la lettre que vous lui avez envoyée et la trouve scandaleuse, indigne même. Un gentleman ne se conduit pas ainsi.

— Je souhaitais seulement faire la connaissance de ma cousine, se défendit Denis Arlen.

— La vérité, c'est que vous voulez mettre la main sur sa fortune. Je vous le répète, ma pupille n'a aucune envie de vous connaître, et si je vous surprends encore à tourner autour d'elle, où que ce soit, chez qui que ce soit, je vous ferai jeter dehors. Vous m'avez bien compris ?

— Très bien, monsieur. Il n'empêche que j'ai le droit de voir ma cousine si je le veux. Vous pouvez m'interdire de l'approcher, la surveiller de près, mais un jour ou l'autre je réussirai et parviendrai à mes fins.

En disant ces mots, il fit une brève courbette et s'éloigna. Le duc le regarda partir, l'air furieux, puis revint s'asseoir à table, près de Félicia.

— Vous vous êtes débarrassé de lui ? demanda-t-elle.

— Je lui ai dit de cesser de vous importuner.

— Il... il me fait peur.

— C'est lui faire trop d'honneur, rétorqua le duc. Il ne mérite pas que l'on ait peur de lui. C'est un vulgaire coureur de dot. Il faut se méfier de cette engeance. Sous des dehors affables et courtois, ce sont les pires des voleurs !

Il était en colère parce qu'il voyait bien que sa pupille était bouleversée, et qu'il se demandait ce qui allait se passer et comment elle réagirait si ce genre d'incident se reproduisait à l'avenir.

Comme si elle lisait dans ses pensées, Félicia demanda d'une voix hésitante :

— Ne puis-je... faire don de ma fortune à quelque œuvre de charité ? Je ne serais alors... plus d'aucun intérêt pour ce genre d'individu.

Le duc faillit lui répondre que ce n'était pas à cause de son argent que le comte Henri d'Avallon, par exemple, avait envie de la courtiser. Très riche lui-même, il n'avait aucun besoin d'un supplément de fortune. Mais il n'en fit rien, persuadé qu'un tel argument ne ferait qu'ajouter à l'angoisse de la jeune fille. Il se contenta de lui prendre la main par-dessus la table et de la rassurer.

— Je croyais que vous me faisiez confiance ?

— Vous le savez bien.

— Alors ne vous inquiétez pas. Je vous protégerai. (Ses doigts étaient glacés ; ils tremblaient.)

Oublions cet importun, renchérit le duc, et profitons de ce délicieux déjeuner, de cet endroit ravissant, de la nature qui nous environne.

Elle sourit et tout son visage s'illumina. Elle était d'une beauté saisissante.

— Comment pourrait-il me... gâcher ma journée alors que je suis près de vous ? demanda-t-elle.

— Vous avez cent mille fois raison. Il ne vaut pas la peine qu'on lui consacre plus de quelques secondes. Chassons-le de nos pensées.

— Vous venez de tuer un autre dragon, saint Georges ! A partir de maintenant, nous pouvons nous amuser, apprécier pleinement l'instant présent.

Ses yeux brillaient. Parce qu'il voulait achever de la rassurer, le duc eut envie de lui baiser la main comme il l'aurait fait avec une autre femme dans les mêmes circonstances, mais il refréna son enthousiasme, de peur de l'effrayer.

— C'est cela, amusons-nous, se contenta-t-il de dire. Levons nos verres à l'instant présent !

5

Le duc jeta un coup d'œil autour de lui et se félicita d'avoir choisi le salon de Mme Goutier pour la première sortie officielle de Félicia. Mme Goutier était célèbre pour les fêtes qu'elle donnait et qui rassemblaient toutes les personnalités qui comptaient dans le monde des lettres, de la politique et des arts.

La conversation promettait d'être non seulement relevée, mais incisive et pleine d'esprit. De plus, comme la plupart des invités étaient beaucoup plus âgés que Félicia, cette dernière ne risquait pas de se sentir menacée en aucune manière. Elle serait plus détendue, moins angoissée.

Le duc avait eu une aventure avec la belle Mme Goutier quelques années auparavant et, parce qu'elle était fine et subtile en même temps que fascinante, elle avait réussi la gageure de rester l'amie de son amant longtemps après que leurs amours eurent pris fin. Et il n'était pas le seul. Darlington, pour sa part, n'eût jamais songé à venir à Paris sans lui rendre visite.

Elle l'accueillit avec une sincère exclamation de plaisir en lui tendant ses deux mains. Elle paraissait si jeune, si rayonnante, qu'il était difficile d'imaginer qu'elle avait dépassé la trentaine.

Le duc prit ses deux mains dans les siennes et les baisa longuement, conscient au frémissement qui les parcourut, qu'il ne lui était pas indifférent et qu'il avait toujours le pouvoir de la troubler.

— Comme je suis heureux de vous voir, Hélène ! murmura-t-il avec un sourire.

— Cher ami ! J'ai appris depuis peu votre présence dans notre ville et j'attendais votre venue avec grande impatience, répliqua-t-elle. Il paraît que vous êtes accompagné d'une charmante et ravissante pupille, ajouta-t-elle en se tournant vers Félicia.

Le duc fit les présentations et la façon dont Mme Goutier s'adressa à la jeune fille dissipa quelques-unes des craintes qui, il le savait, la tourmentaient depuis qu'ils avaient quitté sa demeure des Champs-Elysées.

De peur de le mécontenter, Félicia n'avait pas osé lui dire qu'elle préférait rester tranquillement à la maison après le dîner, mais il se doutait que c'était son souhait le plus cher. L'expression de ses grands yeux bleus ne trompait pas.

Il avait fait mine, cependant, de ne pas y prêter attention, persuadé qu'elle accepterait pour lui plaire de faire ce qu'il lui demandait. Quand ils s'étaient engouffrés dans la berline pour se rendre chez Mme Goutier, au fur et à mesure qu'ils se rapprochaient de leur destination, il avait senti monter en elle l'angoisse et l'appréhension à l'idée de ce qui l'attendait.

Elle était particulièrement en beauté ce soir, et le duc avait hâte de la présenter à ses amis. Pour passer la soirée avec lui, elle avait choisi de porter une robe blanche en dentelles de Valenciennes incrustées sur des volants qui partaient du décolleté pour s'évaser en corolle, jusqu'à l'ourlet.

Sa camériste lui avait relevé les cheveux à la dernière mode, dégageant le cou et mettant en valeur sa nuque gracile. Le duc avait choisi deux étoiles en diamants pour elle, et la camériste les avait habilement fixées dans sa chevelure, juste au-dessus des oreilles.

Félicia savait, sans qu'on ait besoin de le lui confirmer, que ce cadeau contribuait à accentuer sa ressemblance avec une princesse de conte de fées, et, enchantée par tant de beauté et de magnificence, elle n'avait même pas songé à protester contre le coût exorbitant de ce présent.

— Merci pour ces ravissantes étoiles, merci du fond du cœur ! s'était-elle exclamée en rejoignant le duc au salon.

— Elles vous vont à ravir, avait-il répliqué, et je me fais une joie d'accompagner une aussi jolie jeune fille pour sa première sortie dans le monde.

A ces mots, il l'avait vue réprimer un léger frisson, mais il avait refusé d'en tenir compte, et le dîner s'était déroulé dans une ambiance gaie et enjouée. Le duc avait mis tout en œuvre pour la distraire de son angoisse et lui faire oublier l'épreuve à venir.

Dans la berline, il avait pourtant jugé nécessaire de clarifier les choses et de lui préciser ce qu'il attendait d'elle.

— Sachez surtout écouter, Félicia, mais n'hésitez pas à exprimer votre opinion. Les femmes muettes comme des carpes sont ennuyeuses à mourir.

— Je... je vous promets d'essayer..., murmura Félicia, mais parler m'est très difficile quand l'angoisse me noue la gorge.

— Il faut apprendre à dominer vos peurs, dit le duc avec fermeté. Ravissante comme vous l'êtes, vous attirerez forcément l'attention.

Félicia demeura silencieuse et il enchaîna par une description détaillée du salon de Mme Goutier et des invités qui le fréquentaient habituellement.

— Elle vous aime... beaucoup ? demanda timidement Félicia lorsqu'il se tut.

— Que vient faire l'amour dans tout cela ? s'étonna le duc.

— Il y avait tant de... chaleur dans votre voix quand vous avez parlé de notre hôtesse que je me suis dit qu'elle devait... compter beaucoup pour vous.

Le duc ne put s'empêcher de penser que Félicia avait beaucoup d'intuition, plus qu'il ne l'eût imaginé de la part d'une jeune fille inexpérimentée.

— Vous allez rencontrer nombre de mes amis, Félicia, durant notre séjour à Paris. Ne cherchez pas à trop en apprendre sur la nature réelle de nos relations passées. Cela pourrait devenir embarrassant et pour vous, et pour moi.

— Je comprends, murmura-t-elle. Mais comme vous semblez avoir beaucoup d'affection pour Mme Goutier, en même temps que de l'admiration, je pense que je devrais essayer de la prendre pour modèle.

— N'en faites rien ! Quoi de plus insipide qu'une pâle copie ? Soyez vous-même, Félicia. Au lieu d'imiter, cherchez à développer votre personnalité, vos traits de caractère, ceux qui feront de vous quelqu'un d'unique, d'irremplaçable.

Intérieurement il songea qu'elle l'était déjà, mais il n'exprima pas tout haut sa pensée, convaincu que ce n'était pas un service à lui rendre que de le lui révéler.

Tandis qu'ils continuaient leur chemin, Félicia médita en silence sur ce qu'il venait de lui dire. Bientôt ils furent en vue de la maison de leur hôtesse, située non loin de la place de la Concorde. Moins vaste que celle du duc, elle n'en avait pas moins beaucoup de charme, tout comme sa propriétaire.

Il n'y avait qu'une douzaine de personnes lorsqu'ils pénétrèrent dans le salon de Mme Goutier et le duc s'en réjouit, sachant que, pour sa pupille, la première prise de contact avec la société parisienne en serait facilitée.

La présence de la comtesse de Margny dans ce petit cercle d'intimes le surprit. Il l'avait rencontrée pour la première fois deux ans auparavant et depuis, malgré une visite éclair de la comtesse à Londres, l'année précédente, avec son mari, ils n'avaient pas eu l'occasion de se voir seuls. Cette fois, le duc avait eu la ferme intention de lui faire signe, mais il n'en avait pas encore eu le temps.

Dès qu'il l'avait aperçue, le duc s'était senti attiré par elle et, de son côté, la comtesse avait eu le coup de foudre. Pourtant, à peine commencée, leur aventure avait été interrompue, la comtesse ayant dû accompagner son mari dans un de ses fréquents voyages à l'étranger.

L'un comme l'autre en avaient ressenti une intense frustration et le duc s'était promis de la revoir. Pourtant, jamais il n'eût songé à le faire en présence de Félicia.

Quand il vit le sourire entendu qu'elle lui adressa lorsqu'elle l'aperçut, il comprit qu'ayant appris qu'il viendrait à cette réception, elle avait intrigué pour se faire inviter.

— Mon Dieu, mon cher, dit-elle, lorsque le duc se pencha pour lui baiser la main, il y a une éternité que nous ne nous sommes vus !

— Trop longtemps, répondit le duc en lui rendant son regard.

Puis, tandis qu'il s'asseyait et que Félicia prenait place à ses côtés, une conversation générale s'instaura, où chacun s'ingénia à briller, où les traits d'esprit le disputaient aux remarques pertinentes, interdisant tout aparté.

Bien qu'absorbé dans la conversation, le duc sentait sur lui le regard brûlant de la comtesse. A une ou deux reprises, leurs yeux se rencontrèrent et il ne put se méprendre sur l'invite à peine voilée qu'il lut dans les prunelles mordorées.

La comtesse n'était pas vraiment belle mais elle possédait ce je ne sais quoi qui rend les femmes irrésistibles. Il se souvint du sentiment d'impuissance presque désespéré qui l'avait saisi lorsque, au lendemain du bal de l'ambassade de France à Londres, il lui avait rendu visite et s'était vu répondre par le maître d'hôtel que le comte et la comtesse de Margny avaient dû repartir pour Paris plus tôt que prévu.

Pourtant, à présent qu'elle était là, tout près de lui, vibrante de désir, il fut étonné de ne plus rien ressentir pour elle.

En hôtesse habile et attentive, Mme Goutier s'arrangeait pour que ses invités se rencontrassent tous. En conséquence, avec un sourire, elle les obligeait à se déplacer. C'est ainsi que la comtesse se retrouva bientôt à côté du duc.

Elle lui murmura quelques mots à l'oreille et, quand il voulut lui répondre, il s'aperçut que leur hôtesse avait pris Félicia par le bras et l'emmenait à l'autre bout de la pièce où elle la fit asseoir entre un des plus brillants conteurs de Paris et un jeune homme dont la pièce se jouait actuellement dans un théâtre de la capitale.

Comme il la suivait des yeux, le duc remarqua l'expression angoissée de son regard et lui sourit pour la réconforter de loin. Elle essaya de lui rendre son sourire mais n'y parvint qu'à demi. Pour faire bonne figure, elle se tourna vers son voisin, la mine attentive. Ses mains convulsivement serrées révélaient sa nervosité à un spectateur attentif.

— Où pourrais-je vous voir ? demanda la comtesse à voix si basse que, dans le tohu-bohu général, personne d'autre que le duc ne put entendre ce qu'elle disait.

L'ardeur contenue dans ces quelques mots était indubitable et, bien que le duc souhaitât lui répondre sur le même ton, il en fut incapable.

Ses yeux ne quittaient pas Félicia et il ne perdait rien de la scène qui se jouait loin de lui. Conscient de l'attention de la jeune fille, son voisin, le conteur, était manifestement en train de lui faire un compliment, car le duc vit soudain le visage de sa pupille se fermer et tout son corps se raidir d'effroi dans son fauteuil.

Le duc pouvait presque sentir la tension qui s'était emparée d'elle et il se demanda ce qu'il ferait et quelles explications il donnerait si la peur venait à la submerger et que Félicia se lève pour fuir à toutes jambes.

Son voisin, apparemment fasciné par sa beauté, lui adressait un sourire doucereux et la dévisageait de ses yeux noirs admiratifs.

Il faut que j'intervienne, songea le duc.

Ce fut le hasard qui lui en donna l'occasion. De nouveaux invités arrivaient et Mme Goutier se leva pour les accueillir. Le duc en profita pour se lever également et se diriger vers Félicia.

— Quelle chance vous avez, Félicia, d'avoir fait la connaissance de mon vieil ami, M. Clécy ! C'est un des esprits les plus vifs et une des langues les plus acérées de France. Rares sont ceux qui osent se mesurer à lui dans tout le pays.

M. Clécy rejeta la tête en arrière et se mit à rire.

— Je vous trouve bien aimable aujourd'hui, Darlington, et beaucoup plus flatteur que vous ne l'avez jamais été dans le passé. Peut-être est-ce dû à la présence de votre charmante pupille ? Grâce à elle et à l'attention qu'elle me porte, vous consentez. à me reconnaître soudain quelques qualités.

— Je vous ai toujours apprécié, répliqua le duc, même quand vous dénigriez, avec un talent inimitable, je vous l'accorde, mes succès sur les champs de courses.

— Vous avez trop de chance, Darlington. Voilà ce que je vous reproche ! Et maintenant, vous vous présentez avec une ravissante pupille qui va devenir, à n'en point douter, la coqueluche du Tout-Paris. On dirait la déesse du printemps venue narguer les pauvres feuilles d'automne que nous sommes !

— Si vous continuez sur ce ton, vous allez lui tourner la tête, rétorqua le duc d'un ton badin. Elle n'a pas l'habitude qu'on lui fasse de tels compliments.

Tout en parlant, il s'inclina devant Félicia et l'aida à se lever.

— J'aimerais vous présenter à un autre de mes amis, dit-il. On ne peut permettre à M. Clécy de vous monopoliser.

— J'aimerais m'en aller, supplia Félicia tandis que le duc l'entraînait dans son sillage.

— Pas question ! murmura-t-il.

Il s'apprêtait à la présenter à la mère de Mme Goutier, se disant que sous la protection de la vieille dame, Félicia ne risquait rien, quand la comtesse les rejoignit.

— Il faut que vous me présentiez votre pupille, dit-elle. Henri m'a prévenue qu'elle était ravissante, mais il était encore en dessous de la vérité.

Sous le compliment, le duc décela une note de jalousie et il se rappela soudain qu'il n'avait pas répondu à la question de la comtesse un peu plus tôt, et qu'il lui avait faussé compagnie sans explication. Il regretta son manque de courtoisie mais ne put rien faire d'autre que de lui présenter sa nièce, comme elle le lui demandait.

— Quelle chance vous avez, mademoiselle, dit la comtesse, d'avoir pour tuteur l'homme le plus séduisant et le plus convoité de toute l'Angleterre ! Vous ne pouviez trouver chevalier servant plus attenfif et plus dévoué, à ce que je vois.

Le ton acerbe avec lequel elle prononça ces derniers mots surprit Félicia. Le duc qui avait les yeux fixés sur sa pupille vit qu'elle avait noté le changement d'inflexion et qu'elle se demandait ce qui l'avait provoqué.

— Vous avez raison, madame, j'ai beaucoup de chance, répondit-elle.

— C'est pourquoi, poursuivit la comtesse, vous devriez penser un peu aux autres et ne pas le garder pour vous toute seule. Nous sommes nombreux ici à le connaître et à l'aimer depuis beaucoup plus longtemps que vous.

Sans plus se préoccuper de Félicia, la comtesse se rapprocha du duc et, levant la tête vers lui, murmura :

— J'ai l'intention de rentrer directement chez moi en partant d'ici.

Un mot de plus eût été superflu. L'invite était claire. Le duc s'inclina poliment, mais se garda de répondre.

— Il est temps que nous nous en allions, dit-il

en s'adressant à Félicia. Il nous reste encore une visite à faire.

Un éclair de joie et de soulagement illumina le regard de Félicia, mais leur hôtesse tint à les présenter encore à deux ou trois amis avant de les laisser partir, et le duc dut promettre à plusieurs de ses relations de venir dîner chez eux dans les prochains jours.

Félicia commençait à penser qu'ils n'arriveraient jamais à se libérer de cette toile d'araignée géante, quand enfin le duc la prit par la taille et l'entraîna dans l'escalier.

— Nous devons vraiment... aller faire une autre visite ? demanda Félicia.

— Vous avez été parfaite et, pour vous récompenser, je vous reconduis à la maison.

Elle laissa échapper un petit cri de triomphe, puis son expression changea et elle murmura :

— Est-ce que cela veut dire que vous allez... vous rendre chez... cette femme à laquelle vous m'avez présentée ?

Comment avait-elle fait pour deviner la question qu'il était justement en train de se poser ? songea le duc. Et soudain, il sut clairement la réponse à y apporter.

— Non ! Comme je me propose de vous emmener monter à cheval tôt demain matin, j'ai l'intention de me coucher de bonne heure.

Un valet apporta la cape de Félicia, le duc la lui drapa autour des épaules et ils sortirent ensemble sur le perron.

— La voiture du duc de Darlington ! cria le valet d'une voix forte.

Au même instant, un homme arriva en courant des écuries où étaient remisés les attelages des invités.

— Vite ! Monseigneur ! Venez vite ! s'exclama-t-il, tout essoufflé. Il y a eu un accident !

Le duc s'élança. En un éclair, il revit les deux chevaux qui tiraient sa voiture, ce soir-là. Quel dommage si quelque chose leur était arrivé ! Il s'agissait d'une paire de magnifiques pur-sang qu'il avait achetés quelques mois auparavant, à Tattersall. La meilleure affaire qu'il eût jamais faite.

Sans réfléchir davantage, il suivit l'homme qui s'était remis à courir en direction des écuries. Il avait à peine franchi cent mètres qu'il se souvint de Félicia. Pourquoi n'était-elle pas à ses côtés ? Il se retourna. Le perron était désert. Où avait-elle disparu ? Tout à coup, il crut voir une silhouette claire au pied des marches, à l'angle de la maison. Que faisait-elle là ? Non, il devait se tromper. Un homme était à ses côtés. Il ne pouvait s'agir de Félicia. Et soudain, déchirant le silence, un cri retentit.

La voix de Félicia, perçante, terrifiée. Il eut tout juste le temps d'apercevoir la jeune fille rudement poussée à l'intérieur d'une voiture fermée, qui démarra aussitôt à vive allure.

Pendant un instant, le duc crut qu'il avait mal vu, puis comprenant soudain ce qui se passait, il regarda autour de lui, cherchant des yeux sa voiture. Il ne la vit pas mais à cet instant précis, un phaéton tiré par quatre chevaux franchit la grille d'entrée.

Le duc reconnut aussitôt son conducteur, un

jeune homme qui menait grand train et n'avait de cesse de se faire remarquer partout où il allait. Il portait un chapeau haut de forme, une orchidée en guise de boutonnière et une perle grosse comme un œuf de pigeon épinglée sur sa cravate.

Sans une seconde d'hésitation, le duc courut vers le phaéton, grimpa sur le marchepied et interpella le conducteur :

— Je vous en prie ! Aidez-moi. On vient d'enlever ma pupille. J'ai besoin de votre attelage. Il faut la suivre !

Le jeune homme le regarda, surpris, puis le reconnut. C'était cet Anglais plein de morgue qui l'ignorait systématiquement lorsqu'il le croisait... Comme le hasard faisait bien les choses ! Voilà qu'aujourd'hui, il le suppliait de l'aider.

— Je serais enchanté de vous être utile, monsieur, mais...

— Laissez-moi conduire ! coupa le duc.

Joignant le geste à la parole, il bouscula le jeune homme et lui prit les rênes des mains. La voiture qui emmenait Félicia venait de tourner dans une ruelle sur la droite, et il ne voulait pas la perdre de vue.

Le propriétaire du phaéton ne pouvait s'empêcher de le regarder guider les chevaux avec admiration. Il les menait à tombeau ouvert, mais il émanait de lui une telle maîtrise, une telle force, une telle dextérité dans la manière dont il dirigeait l'attelage que, malgré la vitesse, on se sentait en sécurité.

Loin devant eux, le fiacre roulait lui aussi à vive allure, mais il n'était pas de taille à les distancer longtemps. Il bifurqua de nouveau et emprunta les Champs-Elysées. A cette heure tardive, les voitures étaient rares, mais les hôtels particuliers qui bordaient la célèbre avenue étaient encore brillamment éclairés, et de nombreux passants se promenaient sur ses larges trottoirs.

Quand le duc atteignit l'arc de triomphe en construction, en haut des Champs-Elysées, le fiacre les précédait toujours, mais l'écart entre les deux voitures se réduisait à vue d'œil.

Devant eux s'ouvrait la route en direction de Versailles, et le duc estima que Denis Arlen — le ravisseur de Félicia ne pouvait être que lui — allait probablement l'emprunter. Il lui serait en effet plus facile de cacher la jeune fille dans quelque village hors de Paris que dans l'enceinte de la capitale.

Ils continuèrent leur course infernale pendant plusieurs kilomètres avant de se retrouver sur de petites routes de campagne. Le duc n'attendait que cela pour tenter de dépasser et de bloquer le fiacre.

Il accéléra subitement l'allure et, tandis que le fiacre ralentissait dans un virage, le duc le prit de vitesse. Pendant un moment, les deux voitures furent à la même hauteur, séparées seulement par quelques centimètres, puis le phaéton doubla le fiacre et ralentit progressivement l'allure jusqu'à s'arrêter tout à fait, une centaine de mètres plus loin, bloquant la route. Denis Arlen ne put faire autrement que de freiner pour éviter la collision.

Le duc rendit les rênes au propriétaire du phaéton et, sautant à terre, marcha résolument vers le fiacre. Lorsqu'il le vit, Arlen descendit de voiture lui aussi et attendit son adversaire de pied ferme, bien décidé à se battre. Il se mit en garde, les poings serrés, les bras levés pour se protéger le visage.

Ce qu'ignorait Arlen, c'est que le duc était un boxeur hors pair et qu'il s'entraînait à ce sport plusieurs fois par semaine, tant à Londres qu'à la campagne. Arlen était un peu plus grand que le duc et avait une allonge supérieure, mais fort de cet avantage, il se surestimait. Le duc le comprit tout de suite.

Sans perdre son temps en bavardage, Arlen se rua sur son adversaire, pressé d'en finir et de poursuivre son criminel dessein.

Avec une légèreté et une vivacité que sa stature et ses larges épaules ne permettaient pas de soupçonner, le duc fit un pas de côté et le poing d'Arlen ne rencontra que le vide. Arlen fonça de nouveau, jouant le tout pour le tout, comptant sur son poids et la puissance de ses coups pour renverser le duc. Mais, curieusement, sa rage ne semblait jamais pouvoir atteindre sa cible.

Le duc feignit une attaque du droit, Arlen se découvrit et son adversaire en profita pour lui décocher un uppercut du gauche à la pointe du menton. Arlen accusa le coup et tituba. Le duc le frappa de nouveau et Arlen s'écroula de tout son long dans la poussière, inconscient.

Un cri salua la victoire du duc, un pauvre petit cri, presque trop faible pour être entendu. Le duc se précipita vers le fiacre et Félicia se jeta dans ses bras, cachant son visage contre son épaule.

Pendant un instant, il la tint serrée contre lui, tremblante, incapable de parler. N'y tenant plus, elle fondit en larmes.

— Tout va bien, maintenant, dit-il doucement. C'est fini, Félicia. Le cauchemar est terminé. Je vous ramène à la maison.

Il remarqua qu'elle ne portait plus sa cape et il en déduisit qu'elle avait dû se débattre. D'une main, il récupéra le vêtement sur le siège du fiacre et en couvrit les épaules frissonnantes de la jeune fille. Puis, tandis qu'elle continuait à sangloter contre lui, il la souleva dans ses bras et la porta jusqu'au phaéton.

Son propriétaire avait eu le temps de faire faire demi-tour à son attelage. Après avoir déposé son précieux fardeau dans la voiture, le duc se retourna pour voir si son adversaire était toujours inconscient. Mais Denis Arlen retrouvait peu à peu ses esprits. Il rampa tant bien que mal jusqu'au fiacre et, s'aidant de la roue, se hissa péniblement et réussit à se mettre debout.

Le duc prit place dans le phaéton à côté de Félicia.

— Je vous serais très obligé, monsieur, si vous nous reconduisiez dans la capitale, dit-il au jeune dandy français.

La voiture se mit en marche et le duc entoura d'un bras protecteur les épaules de Félicia. Il ne fit aucun effort pour la calmer, convaincu que ses larmes constituaient pour elle le meilleur moyen de se détendre après cette épreuve pénible.

Peu à peu cependant, les sanglots qui secouaient Félicia s'espacèrent. Toujours sans un mot, le duc lui tendit son mouchoir. Elle le prit et, la tête toujours nichée contre l'épaule secourable de son tuteur, elle se tamponna les yeux puis, d'une voix qu'il eut du mal à percevoir dans le fracas des roues et des sabots des chevaux, elle murmura :

— Vous... vous êtes venu ! Je... j'avais si peur que vous n'ayez pas vu ce qui s'était passé !

— J'étais aux premières loges, dit le duc d'un ton dur.

Il sentit Félicia se blottir davantage contre lui, comme si la pensée qu'il eût pu ne pas la voir la terrifiait encore, après coup.

— Je pense avoir donné à Arlen une leçon qu'il n'oubliera pas de si tôt, dit le duc d'un ton qu'il s'efforça de rendre rassurant. Vous n'avez plus à craindre de le retrouver sur votre chemin.

— Je... j'ai eu très peur ! reconnut Félicia d'une voix tremblante.

— Je m'en doute. Pourtant, vous devez être convaincue, à présent, que saint Georges arrive toujours à temps pour vous sauver du dragon !

— C'est vrai. Cela fait deux fois maintenant que vous me tirez d'une situation bien peu enviable.

Tout en parlant, elle leva vers lui son petit visage et, à la faveur du clair de lune, le duc vit ses lèvres trembler et des larmes briller sur ses joues. Elle était si jolie, si attendrissante ainsi qu'il eut soudain envie de l'embrasser.

Ce fut très soudain et tout à fait inattendu, une

bouffée de désir comme il en avait souvent ressenti, mais jamais encore pour une jeune fille aussi fragile que Félicia.

Les battements de son cœur s'accélérèrent, ses tempes battirent et sa bouche s'asséchа brusquement. Et il comprit que ce qu'il éprouvait pour elle était très différent de tout ce qu'il avait éprouvé jusqu'alors pour les autres femmes.

Non seulement il la désirait, mais il voulait la protéger, la sauver de ses angoisses, la faire sienne pour toujours. La violence du sentiment qu'il ressentait le surprit si fort que pendant un moment il se crut le jouet de ses émotions. Puis, très vite, il se rendit compte qu'il n'en était rien et qu'il était tout bonnement en train de tomber amoureux !

Jamais il n'avait pensé qu'il pût éprouver pour Félicia autre chose que de la tendresse ou de la compassion. Elle n'était qu'une enfant qu'il avait sauvée des griffes d'un père indigne et prise sous sa protection. Pourtant, toute fragile et désemparée qu'elle fût, elle s'était peu à peu emparée de son cœur et y régnait désormais en maîtresse.

Le duc avait eu de nombreuses aventures, mais il avait toujours su, au fond de lui-même, qu'elles n'étaient que transitoires. Malgré la violence du désir que lui avaient inspiré certaines de ses belles amies, malgré leur beauté et leur charme piquant, il ne s'était jamais vraiment engagé. Son cœur et son esprit étaient demeurés libres.

En ce qui concernait Félicia, c'était différent. Lorsqu'il s'était battu un peu plus tôt, il l'avait fait pour elle, pour la sauver d'une situation qui la terrorisait, mais aussi pour lui, parce qu'il ne supportait pas l'idée qu'un autre homme pût la toucher, oser porter la main sur elle. Il s'était battu pour empêcher un rival de lui voler sa femme ! Il ne le savait pas encore à ce moment-là, mais c'était pourtant la véritable raison de sa fureur.

— Merci... saint Georges ! dit Félicia dans un souffle.

Bien qu'elle se fût exprimée d'une voix presque inaudible, il l'entendit et ces quelques mots l'émurent. S'il l'avait pu, il l'aurait prise dans ses bras, se serait penché sur ses lèvres, les aurait embrassées avec fougue. Il en mourait d'envie. Mais c'était impossible.

Il savait qu'il devait se maîtriser. Il savait qu'avant de pouvoir se déclarer, il devrait l'apprivoiser, lui faire la cour comme jamais il ne l'avait fait à aucune femme. Il devrait lui apprendre à aimer.

La vie lui lançait un défi inattendu qu'il relevait avec empressement, un défi, — il s'en apercevait à présent —, qu'il avait toujours désiré relever. Il avait toujours souhaité courtiser une femme plutôt que d'être courtisé ; se battre, non seulement pour la protéger, mais aussi pour la conquérir.

Félicia laissa échapper un petit soupir et reposa de nouveau sa tête contre son épaule. Peu à peu, son corps se détendait. Elle ne tremblait plus.

— Je vous aime ! eut-il envie de lui crier.

Mais il savait qu'il lui faudrait attendre encore

longtemps avant de pouvoir lui faire une telle déclaration. Tandis qu'ils continuaient à avancer au rythme du galop des chevaux, seulement éclairés par la lune, il prit conscience de la difficulté du chemin qui lui restait à parcourir avant d'atteindre le cœur de Félicia.

Non seulement il fallait qu'elle triomphe de sa peur viscérale des hommes, mais il devait aussi lui faire comprendre qu'il n'était pas uniquement ce saint héros qu'elle vénérait. Il était aussi un homme en chair et en os qui l'aimait pour ses qualités de femme.

Il avait dit au comte d'Avallon qu'il ne fallait pas la brusquer, ni la pousser dans ses retranchements. Ce conseil valait aussi pour lui. Il devrait se montrer attentif, tendre, patient envers elle et exercer un contrôle inflexible sur ses propres sentiments et désirs, ce qu'il n'avait jamais fait par le passé. Avant qu'il ne puisse éveiller Félicia à l'amour, il fallait la laisser s'épanouir au soleil, comme un bouton de rose.

Il respira profondément. Comme il aimerait qu'elle soit amoureuse de lui ! N'était sa peur des hommes, elle représentait pour lui la femme idéale. En fait, lorsqu'il réfléchissait, il se rendait compte qu'il l'avait aimée dès le premier jour. Il aimait sa beauté et sa grâce. Il aimait son rire adorable, les fossettes irrésistibles qui se creusaient dans ses joues à chaque éclat de rire, la vivacité de son esprit, sa rapidité. Il aimait l'attention presque enfantine avec laquelle elle l'écoutait, sa passion d'apprendre...

Soudain, le duc eut envie de remercier le ciel

pour lui avoir fait connaître Félicia et pour avoir permis qu'elle lui apporte enfin ce qui lui manquait. Les femmes qui avaient traversé son existence l'avaient toujours déçu. Et voilà qu'il trouvait l'autre partie de lui-même en la personne d'une très jeune fille tout juste sortie du couvent !

Ils approchaient de Paris et déjà les faubourgs défilaient autour d'eux lorsque Félicia remua légèrement contre lui et dit d'une voix qu'elle s'efforça d'affermir :

— Comment... comment avez-vous pu... nous rattraper si vite ?

— Remerciez M. de Treyonne, ici présent, expliqua le duc. Jamais de ma vie je n'ai été aussi heureux de voir quelqu'un. Notre ami est arrivé dans son superbe attelage au moment où je voyais s'éloigner le fiacre qui vous emportait.

— C'est moi qui vous remercie, monsieur, protesta le jeune homme. J'ai été très heureux de pouvoir vous rendre ce service.

— Je tiens, monsieur, à vous exprimer toute notre gratitude pour ce que vous avez fait et j'espère que, si nous n'avons pas le temps de vous recevoir à Paris au cours de ce trop bref séjour, nous aurons l'occasion de le faire à Londres, la prochaine fois que vous y viendrez.

En disant cela, il savait qu'il ne pouvait faire de plus grand plaisir au jeune homme. Jamais, en temps normal, il n'eût même songé à inviter M. de Treyonne à dîner ou à une quelconque autre fête. Il le méprisait pour sa prétention et son arrivisme. Mais le duc avait pour habitude de toujours payer ses dettes et il avait compris que le jeune Treyonne serait enchanté de pouvoir clamer sur tous les toits qu'il avait été reçu chez le duc de Darlington.

Quand ils arrivèrent devant sa demeure, sur les Champs-Elysées, le duc sauta à terre, aida Félicia à descendre de voiture, puis tendit la main à Treyonne.

— Encore merci, dit-il. Et si vous venez en Angleterre, surtout, n'oubliez pas de venir nous rendre visite.

— Je ne l'oublierai pas, monsieur, vous pouvez y compter. Je voulais vous dire aussi que la façon dont vous avez rossé cette canaille m'a beaucoup impressionné. Ce fut un spectacle mémorable !

Il y avait une note de sincère admiration dans sa voix. Le duc se contenta de sourire poliment et, passant un bras autour de la taille de sa pupille, il l'entraîna à l'intérieur de la maison.

Une fois dans le salon, le duc relâcha son étreinte et marcha vers le seau à glace où trônait une bouteille de champagne.

— Un peu d'alcool vous fera le plus grand bien, dit-il. Je pense aussi que nous devrions porter un toast au hasard qui m'a permis de vous secourir si vite et qui veut que nous soyons de nouveau réunis !

Le duc appuya exprès sur le mot « réunis » et quand Félicia lui répondit, son regard rayonnait.

— Voilà un bien joli toast ! Je me rends compte que j'ai eu beaucoup de chance, en effet. Il aurait pu réussir et m'emmener loin... très loin... de vous.

— Ne vous inquiétez pas, Félicia. Je vais prendre soin de vous et m'arranger pour que ce genre de choses ne puisse plus se reproduire. Je voudrais vous faire oublier ce mauvais souvenir. C'est une simple aventure dont nous rirons ensemble dans quelques années.

Il lui tendit une coupe de champagne.

— J'aimerais bien pouvoir... en rire, dit-elle. J'essaie, mais... c'est difficile, car lorsque je prends conscience de ce qu'il voulait faire, je... j'ai peur.

— C'est normal, convint le duc. N'importe qui, à votre place, aurait eu peur. Mais vous saviez, n'est-ce pas, que je viendrais vous sauver.

— Je priais pour que vous arriviez à temps car, quand je lui ai demandé pourquoi il... m'avait enlevée et où il me... conduisait, il a répondu qu'il... qu'il allait... m'épouser !

Elle eut du mal à prononcer ces derniers mots et le duc devina qu'ils lui inspiraient un véritable sentiment de répulsion.

— Ce que vous m'apprenez ne m'étonne pas. C'était à prévoir de la part de ce voyou d'Arlen. Ce n'est pas à vous qu'il en veut, Félicia, c'est à votre argent.

— Je déteste... cet argent !

— L'argent peut causer bien des soucis, mais il est aussi une source appréciable de confort et d'agrément, remarqua le duc. Et puis, n'est-ce pas avec de l'argent que vous allez pouvoir m'offrir le présent que vous m'avez promis ?

Il avait adopté à dessein un ton désinvolte et badin. Elle le regarda, l'air fragile et très jeune dans sa robe blanche, et il trouva surhumain de ne pas pouvoir la prendre dans ses bras pour lui avouer son amour.

Mais il savait qu'il n'avait franchi qu'un seul obstacle et qu'il lui en restait beaucoup d'autres à surmonter.

— Juste avant de vous envoyer au lit, je propose que nous levions nos verres à... Félicia, une jeune fille très courageuse et dont je suis très fier.

Elle ne s'attendait pas à ce toast. Ses yeux se mirent à briller et elle lui sourit.

— Quant à moi, je bois... à saint Georges ! dit-elle. Il... il ne me déçoit jamais.

Leurs yeux se rencontrèrent et, l'espace d'un instant, le duc crut voir dans les prunelles bleues le reflet de l'amour dont il débordait.

Puis Félicia se détourna et rit.

— C'était impressionnant tout à l'heure, quand vous avez vaincu cet horrible Arlen. Toute la scène semblait si irréelle que j'avais l'impression d'être au théâtre.

La voix de Félicia était pleine d'admiration mais le duc n'avait que faire d'admiration. C'était un tout autre sentiment qu'il eût aimé entendre dans la voix de sa pupille.

6

Le lendemain, tôt le matin, le duc sortit à cheval, seul. Félicia avait besoin de sommeil pour récupérer. Quand il rentra de sa promenade, il lui fit dire qu'il prendrait son petit déjeuner dans le parc et qu'il espérait qu'elle se joindrait à lui.

Il eut le temps de finir la lecture de tous ses journaux avant qu'elle ne fasse son apparition.

Elle portait une robe qu'il ne lui avait encore jamais vue et il la trouva bien jolie tandis qu'elle traversait la pelouse pour venir le rejoindre.

Ce ne fut que lorsqu'elle fut près de lui qu'il se rendit compte qu'il avait eu raison en pensant qu'elle avait besoin de repos. De profonds cernes soulignaient ses yeux, elle était très pâle et son regard avait une expression étrange qui l'inquiéta.

En même temps, parce que son amour pour elle était plus profond, plus intense qu'il ne voulait même se l'avouer, la seule vue de sa silhouette, le moindre tressaillement d'émotion sur son visage, le moindre froncement de sourcils, lui faisaient battre le cœur.

Il se sentait comme un adolescent de dix-huit ans, amoureux pour la première fois de sa vie. Et c'était la vérité. Félicia était son premier amour.

Il fut pris d'une envie irrésistible de courir au-devant d'elle sur la pelouse et de l'enlacer, de l'embrasser, mais au lieu de cela, au prix d'un terrible effort, il réussit à se maîtriser et, lorsqu'elle arriva à sa hauteur, il se contenta de se lever pour l'accueillir et dit d'une voix impersonnelle :

— Bonjour, Félicia. J'espère que vous avez bien dormi.

— Je voulais monter à cheval... avec vous, mais on ne m'a pas... réveillée.

— J'ai pensé que cela vous ferait du bien de dormir, répondit le duc. De retour en Angleterre, nous aurons maintes occasions de monter ensemble.

Les grands yeux le fixèrent et il y lut la question qu'elle se posait.

— J'ai décidé que nous allions rentrer, dit-il en se rasseyant. La journée d'hier a frôlé de trop près le drame pour que nous puissions vraiment apprécier notre séjour ici. Mais ce n'est que partie remise. Lorsque nous reviendrons, je vous ferai connaître le Paris que j'aime et je suis sûr que vous l'aimerez, vous aussi.

Félicia demeura silencieuse. Elle s'assit près du duc et, quand elle prit la parole, ce fut d'une toute petite voix, très sérieuse.

— Je voudrais... vous... parler.

— Pas à propos de ce qui s'est passé la nuit dernière, j'espère ? Le sujet est clos. Il vous faut penser à autre chose.

— Les événements d'hier ont un rapport indirect avec ce dont je veux vous parler.

— Je suis prêt, Félicia, à écouter tout ce que vous aurez à me dire, mais je tiens à vous préciser que l'attitude d'Arlen est tout à fait inhabituelle. Elle est le fait d'un fou, d'un homme sans foi ni loi, d'un voyou sans scrupules. Jamais pareille infamie n'aurait dû arriver et je regrette de n'avoir pas su la prévenir.

— Mais comment auriez-vous pu... deviner ce qu'il avait l'intention de faire ? Comment auriez-vous pu savoir qu'il avait de si pressants besoins d'argent qu'il fallait à tout prix qu'il mette la main sur ma fortune ?

— C'est ce qu'il vous a dit ?

— Je ne... me souviens plus exactement de ce... qu'il m'a dit. Il avait passé ses bras autour de moi et, malgré tous mes efforts, je ne pouvais me libérer.

La terreur que trahissait la voix de la jeune fille était poignante.

— Oubliez tout cela ! dit brusquement le duc. Je vous promets de mieux veiller sur vous à l'avenir, et je pense que je pourrais le faire plus facilement en Angleterre. J'ai déjà donné des ordres dans ce sens. Nous partirons demain matin. (Félicia ne dit rien, et il ajouta :) Ne vous faites aucun souci pour les toilettes que nous avons commandées. J'ai demandé à ce qu'on vous les fasse envoyer dès qu'elles seront prêtes.

— Je... je ne pensais pas à mes... robes. J'ai... autre chose en tête...

Il y eut un silence que le duc finit par rompre.

— Me direz-vous de quoi il s'agit ?

Félicia respira à fond.

— La nuit dernière, ne pouvant m'endormir, j'ai repensé aux événements de la journée.

Le duc fronça les sourcils. Il imaginait sans peine à quel point cela avait dû être angoissant pour elle de se retrouver seule, dans le noir, après une expérience pareille.

— Je me suis dit que, comme d'habitude, vous vous étiez montré d'une extrême patience et d'une égale gentillesse avec moi, et que cela devait vous peser d'avoir une pupille aussi encombrante. A cause de moi, à cause des soucis que je vous occasionne, vous ne pouvez vous... consacrer comme vous le voudriez à... vos amis.

Elle hésita une seconde avant de prononcer ce dernier mot et le duc comprit qu'elle pensait à la comtesse et se sentait coupable de l'avoir empêché de lui consacrer sa soirée.

Comme il aurait aimé lui avouer qu'il n'y avait qu'une seule personne avec laquelle il aurait eu envie de passer tous les instants de sa vie, et que cette femme, c'était elle ! Mais il ne le pouvait pas. Il ne le devait pas. Prudence ! Telle devait être sa devise pour ne pas l'effaroucher. Il était le seul être en qui elle eût confiance et il ne pouvait risquer de ruiner cette confiance.

— Je pourrais vous répondre que je préfère de beaucoup rester auprès de vous, mais je ne veux pas vous flatter, dit-il d'un ton volontairement léger. Ce dont je peux vous assurer, en revanche, c'est que je me réjouis à l'idée de tout ce que nous allons faire ensemble aujourd'hui.

Félicia eut un geste des mains qu'il ne comprit pas. Voyant qu'elle souhaitait ajouter quelque chose, il attendit qu'elle s'exprime.

— Vous êtes... très bon, mais j'ai... décidé, enfin... je crois... que j'avais raison quand... je songeais à entrer au couvent.

Le duc se raidit, mais avant qu'il n'ait pu prendre la parole, Félicia se hâta de poursuivre, comme si elle voulait prévenir les arguments qu'il allait lui opposer.

— Je sais qu'il en existe un, situé au centre de Paris, tenu par des religieuses du même ordre que celles de Sainte-Thérèse. J'ai rencontré la mère supérieure et je suis sûre qu'elle... accepterait que j'entre chez elle comme... novice.

Pour la première fois depuis qu'elle avait commencé à parler, Félicia osa lever les yeux sur son tuteur. Dans son regard, il vit qu'elle craignait de l'avoir irrité.

Il prit le temps de réfléchir à la meilleure façon de lui répondre. En aucun cas, il ne fallait la braquer et risquer de la renforcer dans sa décision de fuir le monde. Le silence s'éternisa et Félicia commença à s'inquiéter. Il s'en avisa à la façon dont elle croisait et décroisait nerveusement les doigts.

— Comme vous le savez sûrement, Félicia, pour entrer au couvent, vous avez besoin de mon autorisation. Au titre de tuteur, j'ai certaines responsabilités envers vous. Si, bien sûr, ce projet représente votre vœu le plus cher, je ne m'y opposerai pas.

Elle laissa échapper un profond soupir et le

duc ne sut s'il devait l'attribuer au soulagement de voir qu'il n'essayait pas de la dissuader ou, au contraire, à une sorte de fatalisme inéluctable.

— Mais, continua le duc, mon premier devoir est de m'assurer du parfait épanouissement de votre personnalité, de votre bonheur.

— Au couvent, expliqua Félicia, je... je me sentirais à l'abri. Je n'aurais plus peur... et vous n'auriez plus à vous faire de souci pour moi. Je ne vous ennuierais plus.

— Vous ne m'ennuyez pas, répondit tranquillement le duc. Félicia, pour être honnête, je vous dirai que cela m'a fait plutôt plaisir de me battre pour vous, hier soir. J'ai éprouvé une intense satisfaction à régler son compte à cette brute d'Arlen, et je recommencerais volontiers.

— Mais... cela peut se reproduire demain... et avec quelqu'un d'autre cette fois..., dit Félicia d'un air malheureux.

— Je suis prêt à me battre contre tous les hommes qui vous voudront du mal ! interrompit le duc. Après tout, c'est vous qui m'avez choisi comme chevalier pour vous défendre !

Un faible sourire se dessina sur les lèvres de Félicia, mais elle continuait de paraître préoccupée.

— Voici ce que je vous propose, poursuivit le duc. Pendant six mois, vous allez essayer de mener une vie normale avec moi. Vous vous efforcerez durant cette période d'apprivoiser votre peur des hommes, de vous divertir. La vie de château a du bon, vous savez. Il y a des foules de choses à faire et à voir au domaine. Je vous ferai tout visiter, en détail.

Il crut percevoir un frémissement d'intérêt dans les yeux de la jeune fille, mais si imperceptible qu'il n'en fut pas certain. Sans se décourager, il reprit :

— Quand les six mois seront écoulés, si vous considérez que vous êtes toujours aussi malheureuse et si vous persistez à vouloir rentrer au couvent, je vous donnerai mon consentement et vous pourrez vous retirer du monde, à tout jamais.

Le ton solennel qu'il employa, la gravité de ses paroles semblaient indiquer, qu'une fois refermée la porte du couvent, la jeune fille serait morte pour le monde, évanouie dans l'obscurité.

Félicia joignit les mains et regarda au loin, pesant le pour et le contre.

Le duc croisa les jambes et s'installa plus confortablement dans son fauteuil.

— Même les saints et les chevaliers ont le droit d'être récompensés pour leurs actions d'éclat, dit-il. Je ne demande pas grand-chose, juste que vous acceptiez de me tenir compagnie au château, que vous veniez vous promener à cheval avec moi, que vous m'apportiez la contradiction le soir, après le dîner, au cours d'interminables conversations.

— Vous voulez vraiment de... moi ?

A présent, il n'y avait plus de doute. L'expression de Félicia avait changé. Une lueur d'espoir éclairait ses yeux. Ainsi, elle s'était réellement imaginée qu'il trouvait sa présence encombrante, et elle avait encore du mal à croire qu'il n'en était rien.

Il mourait d'envie de lui dire à quel point il la désirait, mais il se contenta de répondre :

— Je serais très déçu d'avoir à rentrer seul en Angleterre.

— En ce cas, je... j'accepte votre proposition... mais imaginons que vous vous aperceviez bien avant que les six mois ne soient écoulés... que je vous ennuie à mourir ?

— Si vous m'ennuyez, je vous le dirai, répondit le duc. Je croyais, Félicia, que nous étions convenus de jouer toujours cartes sur table l'un avec l'autre ? (Il sourit avant d'ajouter :) Il va sans dire que vous aussi, si vous me trouvez insupportable, sinistre ou exaspérant, vous n'hésiterez pas à me le faire savoir.

— Ça ne risque pas d'arriver ! s'exclama Félicia en riant.

Au fond de son regard, la petite lueur d'admiration était de retour. Le duc étouffa un soupir de soulagement. Il venait de disputer une course épuisante dont il sortait heureusement vainqueur.

— Alors, c'est décidé, nous partons demain pour Londres. Je vais avertir mon secrétaire de refuser toutes les invitations en prétextant que d'importants rendez-vous nous attendent en Angleterre. Et pour aujourd'hui ? ajouta-t-il. Quels sont nos plans ?

— Que voulez-vous faire ? demanda Félicia.

S'il avait pu s'exprimer en toute franchise, il aurait répondu qu'il aimerait l'emmener chez le plus grand joaillier de la ville pour lui acheter une bague de fiançailles. Au lieu de quoi, parce qu'il savait que cela lui ferait plaisir, il proposa :

— Et si nous allions nous promener dans le

cabriolet que j'envisage d'acquérir ? Vous me direz ce que vous en pensez.

— Merveilleux !

— Mon fournisseur l'a conduit ici ce matin pour que je l'essaie, expliqua le duc. Allez vite mettre votre capeline. Pendant ce temps, je fais atteler. Nous irons au Bois.

Félicia se leva avec vivacité, adressa au duc un sourire radieux et traversa la pelouse en courant. En la regardant s'éloigner, il songea qu'il n'avait jamais vu une femme se mouvoir avec autant de grâce et de légèreté. Il était émerveillé et en même temps, il avait le terrible sentiment qu'elle s'échappait, qu'elle le fuyait.

— Comment réussir à me faire aimer d'elle ? se demanda-t-il.

Pour la première fois de sa vie, il avait peur de perdre la partie. Oh, bien sûr, il se savait capable d'inspirer l'amour. Ses nombreuses conquêtes le lui avaient prouvé maintes fois. Il avait pour lui l'expérience, le charme, la fortune, mais Félicia était différente des autres femmes. Tout d'abord, elle avait peur des hommes, et ses aspirations, son idéal ne ressemblaient aucunement à ceux de ses belles amies.

Il ne s'était jamais remis en question, mais à l'improviste, face à Félicia, il se demandait s'il avait quelque chance de lui plaire. Il avait l'impression, en ce qui la concernait, que son passé de don Juan constituait plutôt un obstacle qu'un avantage.

Il devinait que pour la conquérir, son expérience amoureuse ne suffirait pas, qu'il lui faudrait s'engager davantage, changer radicalement de tactique, accepter de découvrir son cœur, de le laisser parler. Les apparences — titres, richesse, renommée — n'avaient que peu de poids aux yeux de Félicia. Plus profonde que les femmes qu'il avait connues jusque-là, la jeune fille s'attachait à la vraie valeur intrinsèque de l'individu, à son authenticité, à ses qualités personnelles.

Pour elle, il était le preux chevalier, le saint pourfendeur de dragons. Elle l'avait idéalisé et il se rendait compte que s'il voulait conserver son estime, il lui fallait se montrer digne, sa vie durant, de l'image qu'elle s'était forgée de lui.

La tâche était surhumaine et pourtant, il sentait que, si elle l'aimait comme il l'aimait, il ne pourrait la décevoir, qu'il saurait répondre à son attente.

Dans le jardin inondé de soleil, le duc fit son examen de conscience. Il examina son passé et s'aperçut qu'il avait négligé l'essentiel, ce qui faisait la grandeur de l'homme non aux yeux du monde, mais aux yeux de son Créateur. Il se tourna vers son avenir et prit conscience que, sans Félicia, sans son amour, il serait à jamais un vagabond misérable.

Il faut que je gagne, se dit-il. Il faut que j'arrive à la conquérir.

Et soudain d'autres mots lui montèrent spontanément aux lèvres :

Ô Dieu ! Aide-moi !

Après une longue promenade au Bois, le duc et Félicia étaient tombés d'accord : le cabriolet était amusant à conduire, rapide, léger, et il eût été dommage de ne pas en faire l'acquisition. Le duc serait enchanté de pouvoir l'utiliser lors d'un prochain séjour à Paris.

A peine rentrés, ils avaient fait un somptueux déjeuner, dehors, sous les arbres. C'était le duc qui avait eu l'idée de faire dresser une table dans le parc, à l'ombre d'un platane. De l'endroit où ils se trouvaient, ils ne pouvaient voir la maison et étaient entourés de fleurs et de buissons odorants.

Les serviteurs avaient apporté des plats délicieux, préparés avec un soin jaloux par le chef du duc.

— Que fait-il quand vous n'êtes pas là ? demanda Félicia, le palais encore charmé par de subtils mélanges de saveurs.

Le duc sourit.

— Je crois qu'il goûte lui-même à ses propres mets. Il a considérablement grossi depuis mon dernier séjour !

— Il doit être très déçu de ne pas pouvoir cuisiner pour vous.

— Je le soupçonne de se consoler en faisant la cour à sa bonne amie.

— Est-ce une habitude invétérée chez les hommes de faire la cour aux femmes ?

Devinant qu'elle ne posait pas cette question innocemment, le duc répondit avec prudence :

— Il est normal qu'un homme veuille avoir une femme dans sa vie et qu'une femme ait besoin d'un homme.

— Mais alors, pourquoi ne vous êtes-vous jamais marié ?

— La réponse à votre question est toute trouvée, répliqua le duc. Je n'ai jamais rencontré la femme qui corresponde à mon idéal, celle qui m'est destinée, l'autre moitié de moi-même.

A la façon dont Félicia se pencha en avant, les coudes appuyés sur la table, il comprit que ce qu'il disait l'intriguait.

— Chacun, au fond de lui-même, poursuivit-il, est persuadé qu'il rencontrera un jour le partenaire idéal, la femme ou l'homme avec qui il vivra heureux le reste de son existence. Voilà ce que nous recherchons, ayons l'honnêteté de le reconnaître.

— Vous pensez vraiment, murmura Félicia après un silence, qu'il y a... de par le monde... quelqu'un que Dieu me destine ?

— Bien sûr, dit le duc d'une voix ferme. J'en suis absolument certain.

— Mais... et si je ne le rencontre jamais ?

— C'est là que le destin intervient. Il fait en sorte que les gens se rencontrent et, en général, au moment où ils en ont le plus besoin.

— A vous entendre, cela paraît facile, mais je ne peux m'empêcher de penser que ce n'est pas aussi simple, et que souvent les gens se trompent dans leur choix.

— Je crois que cela arrive quand on est trop pressé, répondit le duc. La vie a un rythme à elle qui ne coïncide pas forcément avec le nôtre. Elle nous pousse dans la bonne direction, si nous acceptons de lui donner sa chance. Les décisions hâtives, tout comme les actions prématurées sont des erreurs.

Félicia lui adressa un coup d'œil de côté et il vit se creuser ses fossettes.

— Est-ce une pierre dans mon jardin? demanda-t-elle.

— Peut-être, admit-il. Mais vous vous apercevrez plus tard qu'il y a beaucoup de vrai dans ce que je dis.

— J'aimerais vous croire, dit Félicia, mais que se passera-t-il si je rencontre l'homme de ma vie et que je m'enfuis à toutes jambes, terrorisée ?

— Je suis sûr que cela ne se produira pas, dit le duc. Combien voulez-vous parier ?

— M'encourageriez-vous à jouer ? Si notre mère supérieure vous entendait, elle serait horrifiée !

— Si vous ne pariez pas sur mes chevaux quand je vous emmènerai aux courses, je me sentirai insulté.

— Mais pour le moment, c'est sur un homme que vous me demandez de parier, ce qui est... très différent !

— Pas tant que ça. D'un côté comme de l'autre, il s'agit de compétition. La seule différence, c'est que dans le cas qui nous occupe, le prix, c'est vous.

Il pensa un instant que l'idée allait l'effrayer, mais non. Elle laissa même échapper un petit rire.

— Et vous me présenterez à lui sur un plateau d'argent ?

Le duc rit à son tour, puis s'arrêta net, conscient tout à coup du double rôle qu'il jouait dans cette histoire: celui de candidat à la conquête de sa pupille et celui de tuteur.

Quand ils eurent fini de déjeuner, ils restèrent un long moment à parler. Le soleil qui filtrait à travers les feuilles accrochait des reflets dorés dans les cheveux de Félicia.

Chaque fois qu'il la regardait, le duc la trouvait plus jolie encore, et il lui paraissait de plus en plus difficile de vivre avec elle sans lui montrer à quel point il l'aimait.

Ils parlèrent de ce qu'ils allaient faire quand ils seraient de retour en Angleterre, et il se rendait bien compte qu'assumer son rôle de tuteur sans lui laisser deviner ses sentiments serait purement et simplement héroïque.

Pourtant, son amour pour elle était si différent de tout ce qu'il avait éprouvé jusqu'à présent, si désintéressé, que seul son bonheur lui importait. Plus le temps passait et plus il était persuadé que le couvent n'était pas fait pour elle et qu'il devait tout tenter pour l'empêcher de s'y enfermer.

Pas seulement parce qu'elle est trop belle, se dit-il, mais parce que, comme la mère supérieure l'avait expliqué, elle était beaucoup trop intelligente et sensible pour cette vie austère.

Il était convaincu qu'elle avait un rôle à jouer dans le monde et que, en ce qui le concernait tout au moins, elle ferait une compagne merveilleuse qui remplirait toute son existence, au point qu'il ne regarderait plus aucune autre femme.

Elle saurait également l'aider à tenir son rang, le seconderait dans ses fonctions de chef de famille et de dignitaire du royaume.

Il faut que je l'aide à guérir de son angoisse, se dit-il pour la énième fois. Il faut qu'elle reprenne confiance dans la vie, dans les autres et qu'elle oublie sa peur des hommes.

Comme à chaque fois qu'il se faisait cette réflexion, il fut frappé par la difficulté de sa tâche et demanda à Dieu de lui venir en aide.

Il était trois heures et demie lorsqu'un serviteur tendit au duc un pli cacheté sur un plateau d'argent.

Le duc fronça les sourcils, pensant qu'il s'agissait d'un mot de la comtesse ou d'un autre de ses amis. Puis, remarquant les armes imprimées à la cire sur l'enveloppe, il se décida à l'ouvrir.

Après en avoir pris connaissance, il dit :

— Prévenez le messager de Sa Majesté que je me présenterai devant elle dans une demi-heure.

Le serviteur s'inclina et retourna vers la maison.

— Qu'y a-t-il ? demanda Félicia.

— Le roi Louis-Philippe me demande de venir le voir avant de repartir pour l'Angleterre. Je le connais depuis longtemps. Il était duc d'Orléans avant d'être roi.

— Et vous devez vous rendre au palais séance tenante ?

— Quand un roi vous invite à venir le voir, il serait de la plus grande impolitesse de le faire attendre. Mais ne vous inquiétez pas, je ne serai pas long.

— Ne puis-je vous accompagner ?

— Non. Je ne crois pas que ce soit une bonne

idée. Le roi doit vouloir me parler de politique et si vous êtes là, il se sentira obligé de vous faire des compliments...

Félicia frissonna.

— Dans ce cas, je préfère rester ici.

— Parfait ! Pour vous récompenser de votre patience, je me renseignerai sur les spectacles de ballet qui se jouent ce soir, et s'il y en a un qui puisse vous plaire, j'essaierai d'obtenir des places.

Félicia joignit les mains.

— Vraiment ? Ce serait possible ?

— Ce le sera.

Ils regagnèrent ensemble la maison et, après avoir donné des ordres pour que l'on prépare sa voiture, le duc monta se changer.

Quand il redescendit, Félicia l'attendait dans le hall.

— J'ai écrit à Mme Goutier pour la remercier de sa petite fête, dit-il.

— Devrais-je lui écrire moi aussi ?

— Je suis sûr qu'elle apprécierait de recevoir un petit mot de votre part.

— Je vais le faire tout de suite.

Un serviteur s'approcha du duc.

— Le tilbury de monsieur le duc est avancé.

Le duc tendit la main pour prendre le haut-de-forme que lui présentait son valet, en même temps que ses gants et une canne à pommeau d'ivoire, pus il se retourna vers Félicia et lui sourit.

— Je vous promets de ne pas être absent trop longtemps. Quand vous aurez fini de rédiger votre lettre, vous devriez regarder dans la bibliothèque s'il y a certains ouvrages que vous voudriez emmener en Angleterre.

— Je suis certaine que je vais en trouver quelques-uns. Puis-je en emporter beaucoup ?

— Prenez toute la bibliothèque si vous le voulez.

Félicia rit et le duc pensa qu'elle avait un bien joli rire. Elle l'accompagna jusque sur le seuil de la maison et le regarda monter dans son cabriolet.

On lui avait dit, un jour, que cela portait malheur de suivre quelqu'un des yeux jusqu'à ce qu'il disparaisse, aussi regagna-t-elle la bibliothèque avant que l'attelage ne franchisse la grille du parc.

Les livres la tentaient, mais auparavant, elle devait écrire à Mme Goutier. Elle s'assit derrière le grand bureau et ouvrit le tiroir à la recherche de papier à lettres. Au même instant, un serviteur frappa à la porte et s'approcha.

— Que Mademoiselle me pardonne de la déranger, mais il y a là deux religieuses du couvent de Sainte-Thérèse qui demandent à voir Mademoiselle.

— Des religieuses ! s'exclama Félicia. Mais je vais les recevoir tout de suite !

— Je les fais entrer au salon, mademoiselle.

Félicia posa plume et papier et se précipita au salon. Elle se demandait quelles étaient les religieuses qui avaient choisi de venir lui rendre visite. Elle espéra qu'il s'agissait de sœur Marguerite, sa préférée, ou bien de sœur Marie, toute jeune encore et trop attachée aux choses de ce monde selon la mère supérieure. Elle leur montrerait sa nouvelle robe et leur expliquerait qu'elle partait pour Londres le lendemain.

Un laquais lui ouvrit la porte du salon et la referma soigneusement derrière elle après son passage.

Les deux religieuses se tenaient à l'autre bout de la pièce, près d'une des fenêtres. Elles tournaient le dos à Félicia. La jeune femme se hâta vers elles en s'écriant :

— Comme je suis heureuse de vous voir ! Vous avez bien fait de venir aujourd'hui, car demain vous ne m'auriez pas...

Elle se tut soudain. Les religieuses se retournèrent et lui firent face. Les deux femmes lui étaient totalement inconnues.

Pendant un instant, Félicia les dévisagea, étonnée de ne pas les avoir déjà vues, puis il lui sembla que l'un des visages lui était familier. Elle allait leur faire part de sa surprise quand la plus grande des religieuses s'approcha d'elle. Une fois de plus, elle eut le sentiment d'une vague ressemblance avec quelqu'un qu'elle connaissait.

— Pas un mot, ma cousine !

Félicia laissa échapper un petit cri étranglé.

Elle venait de reconnaître Denis Arlen. Ainsi déguisé en religieuse, il paraissait encore plus effrayant et impressionnant.

— Que faites-vous dans ce costume ? Pourquoi êtes-vous ici ? commença-t-elle.

Pour toute réponse, il lui saisit le poignet et le serra très fort.

— Tenez-vous tranquille ! Si vous faites la moindre tentative pour fuir ou appeler, je vous brise les os !

Ce ne fut pas tant ce qu'il dit que la façon dont il le dit qui terrorisa Félicia. Sa voix mourut dans sa gorge, son cœur se mit à cogner et la peur s'insinua dans tout son corps, lui interdisant tout mouvement, l'empêchant presque de respirer.

— Voilà qui est mieux ! Votre tuteur s'est mis en travers de mes plans, dit Denis Arlen. Il m'a humilié et s'est mis en tête de m'empêcher de vous épouser, mais il ne me connaît pas. J'ai de la suite dans les idées. Quand j'ai décidé quelque chose, je n'ai de cesse de l'obtenir.

— De quoi parlez-vous ? réussit à dire Félicia.

— Le duc vient de partir et ne rentrera pas avant une ou deux heures, répliqua Denis Arlen. Quand il reviendra, vous serez ma femme et il ne pourra rien y faire.

Félicia étouffa un cri de terreur.

L'autre religieuse ôta son voile et la guimpe qui lui masquait le front et Félicia put voir qu'il s'agissait d'un homme d'une quarantaine d'années, aux cheveux grisonnants. Au même moment, comme s'il avait deviné sa question, Denis Arlen déclara :

— Permettez-moi de vous présenter le révérend Austin Johnson, pasteur dûment ordonné et parfaitement qualifié pour nous marier dans les formes, ma cousine.

Dans un sursaut de courage qu'elle ne se connaissait pas, Félicia parvint à dire :

— Je ne vous épouserai pas... jamais... et rien ne pourra m'y contraindre !

Denis Arlen sourit, d'un sourire hideux qui la glaça.

— Je pensais bien que c'est ce que vous répondriez, mais j'ai le moyen de vous faire changer d'avis.

Ce disant, de sa main libre, il sortit un pistolet des plis de son vêtement.

— Vous pouvez... me tuer si vous le voulez, s'écria Félicia. Je préfère mourir plutôt que de... devenir votre femme.

Les mots jaillirent de sa bouche de manière hachée, précipitée, tant elle avait peur. Pourtant sa voix n'était pas exempte de fermeté, et la jeune fille s'exprimait avec plus de force que quelques instants auparavant.

De nouveau, Denis Arlen sourit.

— Je ne pensais pas à vous, ma chère cousine. Vous êtes trop jolie pour qu'on vous supprime si vite. Non ! La personne dont je souhaite me débarrasser n'est autre que le duc !

Félicia ne put retenir un cri horrifié et les doigts d'Arlen se resserrèrent durement autour de son poignet en guise d'avertissement, comme s'il craignait qu'elle n'attire l'attention des serviteurs.

— J'ai bien dit le duc, reprit-il. Si vous persistez à refuser de m'épouser, j'attendrai son retour et quand il pénétrera dans cette pièce, loin de soupçonner quoi que ce soit, je le tuerai !

— Vous... vous ne ferez pas une chose pareille ! protesta Félicia d'une voix blanche.

— Je le peux et je le ferai ! J'ai tout planifié

avec soin. Si dans une vingtaine de minutes, je n'envoie pas un message à mes hommes postés à l'extérieur pour les rassurer, quelques instants avant le retour du duc, ils feront comprendre à ses serviteurs les risques qu'ils encourraient à vouloir l'avertir du danger.

Denis Arlen semblait enchanté et fier d'avoir ourdi une telle machination. Il en parlait avec une sorte de jubilation.

— A peine rentré chez lui, il tombera dans mon piège. Je le tuerai et tandis qu'il sera allongé sur le sol, baignant dans son sang, je vous emmènerai et vous m'épouserez de bon gré, à moins que vous ne préfériez que je vous batte comme plâtre pour vous y décider. (Il ne fut pas sans remarquer le frisson de terreur qui secoua Félicia.) Oui, je sais le régime que vous infligeait votre père et la raison pour laquelle le duc vous a envoyée dans un couvent à Paris. J'ai pensé que vous seriez heureuse de revoir vos chères religieuses, ricana-t-il, et c'est la raison pour laquelle j'ai choisi le déguisement. Vous avez devant vous votre futur mari et le pasteur qui va vous marier.

Félicia le fixait, les yeux agrandis d'effroi, presque hypnotisée par ce visage grimaçant et les menaces que sa bouche proférait.

— Choisissez ! commanda Denis Arlen. Ou vous m'épousez sans protester, ou je tue le duc sous vos yeux.

Il se tut et attendit. Pétrifiée de peur, Félicia était incapable d'articuler un seul mot. Elle n'arrivait même pas à respirer normalement.

Ce n'était pas possible, songeait-elle. Cette

situation de cauchemar n'était pas réelle. Elle rêvait. Elle allait se réveiller. Mais non. Les doigts qu'elle sentait autour de son poignet étaient bien réels, tout comme le pistolet que Denis Arlen pointait sur elle. Il avait vraiment l'intention de tuer l'homme qui avait été si bon pour elle, le seul homme en qui elle eût confiance, celui qui avait juré de la protéger toujours.

En un éclair, elle se dit que cette fois-ci, le duc ne pourrait malheureusement pas la sauver, mais qu'elle, en revanche, pouvait le sauver.

Elle ne pouvait laisser Arlen mettre son projet à exécution. Le duc ne pouvait pas mourir. Elle le vit s'effondrer sur le sol, blessé à mort. Elle vit le sang maculer sa chemise blanche. Et ces visions lui étaient intolérables.

— Alors ? Que décidez-vous ? demanda Arlen.

Ce qu'il disait prenait une résonance plus monstrueuse encore du fait de l'habit de religieuse dont il était toujours affublé. Comme s'il devinait ses pensées, il relâcha son poignet et ôta brusquement le voile et la guimpe qui l'enveloppaient, puis se tourna vers le pasteur. Félicia nota que ce dernier tenait un missel à la main.

— Vous êtes bien silencieuse, mais je crois connaître votre réponse à ma question, dit Denis Arlen d'un ton narquois.

La gorge serrée, la respiration oppressée, Félicia s'efforça désespérément de plaider la cause du duc, bien qu'elle sût la partie perdue d'avance.

— Je vous en prie... Vous ne pouvez pas faire cela. C'est... c'est criminel ! Vous serez pris et on vous pendra.

— Premièrement, je ne serai pas pris, répliqua-t-il, très sûr de lui, et deuxièmement, si je l'étais, votre fortune me permettra de m'offrir les meilleurs avocats.

— Si c'est... de l'argent que vous voulez, reprit Félicia, je vous donne tout ce dont vous avez besoin mais je vous en supplie, épargnez le duc !

Il y avait une telle angoisse dans sa voix, de tels accents passionnés, que Denis Arlen émit un sifflement en plongeant son regard dans les yeux levés vers lui.

— C'est donc cela ! s'exclama-t-il avec un ricanement. J'aurais dû me douter que vous tomberiez amoureuse du fringant Darlington ! Toutes les femmes sans exception s'éprennent de lui tôt ou tard. Mais il ne vous épousera pas. Il n'a pas besoin de votre argent, lui, tandis que moi, si. Il va donc falloir vous résigner à me prendre pour mari !

— Je... je vous hais ! cria Félicia.

— Et moi, je vous trouve attirante. Pas vraiment mon type, mais je suis prêt à me marier avec un monstre pourvu que ce monstre m'apporte sept cent mille livres en or !

Félicia ne répondit pas. Le pasteur prit la parole.

— Nous perdons un temps précieux, Arlen.

— Nerveux ? s'enquit Arlen. Ne t'en fais pas, mon vieux. Le duc n'est pas prêt de revenir. Nous avons tout notre temps.

Il se tourna de nouveau vers Félicia.

— Vite ! Décidez-vous ! Vous m'épousez ou vous préférez qu'on attende le retour du duc et que je mette ma menace à exécution ? Quelle fin tragique, mais hautement méritée, à mon sens, pour ce cher Darlington !

A son intonation, Félicia comprit qu'Arlen le détestait cordialement et qu'il prendrait un révoltant plaisir à le tuer.

De son côté, la seule mention de sa mort la faisait frémir d'horreur. Toutes les fibres de son corps se révoltaient contre cette idée. Pour rien au monde, elle ne pouvait laisser commettre un tel crime. Elle en mourrait si elle devait le voir étendu sur le sol, perdant abondamment son sang, incapable à jamais de voler à son secours, de prendre sa défense face à des individus comme celui qui se tenait debout à son côté, un pistolet à la main.

Elle faillit s'évanouir à la pensée qu'elle allait devoir devenir la femme d'Arlen. Pourtant, elle n'avait pas le choix.

Peut-être en mourrait-elle ? Peut-être réussirait-elle à lui fausser compagnie, pour aller se réfugier dans un couvent ? L'important pour l'instant était de sauver le duc d'une mort certaine. Il l'avait secourue à deux reprises et c'était à elle maintenant de lui venir en aide.

— Alors, avez-vous pris votre décision ? demanda rudement Denis Arlen.

D'une voix qu'elle ne reconnut pas, tant elle semblait venir de loin, Félicia murmura :

— Je... j'accepte de vous... épouser.

7

Tout en descendant les Champs-Elysées, le duc pensait à Félicia, à son charme et à sa beauté, à sa grâce quand elle était venue vers lui, ce matin, dans le jardin. Il se rendait bien compte qu'elle avait dû prendre beaucoup sur elle pour ne pas lui montrer à quel point elle avait été bouleversée par ce qui lui était arrivé la veille.

Il s'étonnait de son courage. Peu de femmes de sa connaissance auraient été capables d'une telle force de caractère après l'horrible aventure qu'elle avait vécue.

Il se sentait des envies de meurtre à l'égard de Denis Arlen et il se demanda comment il pourrait le punir de s'être comporté de façon aussi épouvantable, sans pour autant causer de scandale.

Il aurait pu bien sûr le provoquer en duel, mais le nom de Félicia aurait été mentionné, et cela, il ne le voulait pas. Elle devait rester en dehors de cette affaire. Sa réputation devait demeurer intacte. En fait, la seule réponse à cette difficulté, c'était que Félicia devienne sa femme.

Lorsqu'elle serait duchesse de Darlington, les chasseurs de dot la laisseraient en paix, mais cette solution lui paraissait bien éloignée encore. Dans l'état actuel des choses, il ne pouvait encore se permettre de faire sa cour, d'avouer à Félicia l'amour qu'il lui portait. Elle n'était pas encore prête à entendre ses déclarations.

Le seul fait de penser à elle raviva son désir. Il aimait la femme qu'elle était, mais aussi, beaucoup plus profondément, il l'aimait pour ses qualités d'âme. Une fois de plus, il s'émerveilla de constater combien l'amour qu'il ressentait pour elle était différent de celui naguère éprouvé pour les autres femmes qui avaient traversé sa vie.

Son amour pour elle était si intense, si complet, qu'il se sentait prêt enfin à se ranger, à ne plus se consacrer qu'à son foyer, à sa femme, aux enfants qu'elle lui donnerait. Plus jamais on ne l'appellerait « le fringant Darlington », se promit-il avec un sourire.

Il s'avisa alors qu'un cavalier essayait de dépasser son cabriolet. Il tourna la tête vers lui et fut surpris de constater que l'homme en question portait la livrée de sa maison et qu'il criait au cocher de s'arrêter.

— Stop ! Arrêtez-vous. Je dois parler à Monseigneur.

Le cocher ralentit l'allure et l'attelage s'immobilisa.

— Qu'y a-t-il ? demanda le duc. Que se passe-t-il ?

Le palefrenier fit avancer sa monture de façon à pouvoir parler au duc.

— Le premier maître d'hôtel m'a envoyé vous prévenir de faire marche arrière, monsieur le duc, dit l'homme penché sur l'encolure de son cheval.

— Et pourquoi donc ? s'enquit le duc, interloqué.

— Monseigneur avait à peine dépassé les grilles du parc que deux religieuses se sont présentées à la porte de la maison pour demander à voir Mademoiselle.

— Des religieuses ? répéta le duc à voix basse.

Il fit signe au palefrenier de continuer.

— Le laquais qui les a fait entrer au salon a trouvé bizarre que des saintes femmes sentent si fort le cognac.

Le duc se raidit.

— Demi-tour ! ordonna-t-il au cocher. On rentre à la maison, et le plus vite possible !

Son ton coupant et sans réplique incita le cocher à obéir sans délai. Il fit claquer son fouet et les chevaux enlevèrent le cabriolet à un train d'enfer.

Tandis qu'ils franchissaient les grilles, le duc remarqua trois individus sur la route, en contrebas, qui semblaient monter la garde auprès d'une voiture fermée. Il ne put s'empêcher de penser à la berline que lui avait décrite la mère supérieure, et qui attendait près de l'église où les jeunes filles allaient faire leurs dévotions.

Le cocher arrêta le cabriolet devant le perron et le duc sauta à terre. Le maître d'hôtel se précipita vers lui, un peu inquiet à l'idée qu'il avait peut-être dérangé son maître pour rien.

— J'ai pensé que je me devais de prévenir Monsieur le duc, dit-il à voix basse.

— Vous avez très bien fait, approuva celui-ci.

Il pénétra d'un pas décidé dans le hall, puis s'immobilisa.

— Mademoiselle est au salon ?

— Oui, monseigneur.

— Je vais faire le tour par le jardin. Restez devant la porte et ne venez que si je vous appelle, ajouta-t-il.

Le maître d'hôtel lui fit signe qu'il avait compris et se dépêcha d'aller lui ouvrir la porte du petit salon d'où l'on pouvait accéder à la terrasse.

Le pasteur commença la cérémonie du mariage. Il parlait d'une voix pâteuse et un peu éraillée. Par moments, il avalait ses mots et la forte odeur d'alcool que les deux hommes dégageaient donna à penser à Félicia qu'ils devaient être éméchés. Cela ne faisait qu'ajouter à l'horreur de la situation.

Un ivrogne était en train de la marier à un homme qui, pour faire main basse sur sa fortune, se préparait à commettre un meurtre. Un homme qu'elle méprisait et haïssait et qui, dans un instant, serait son mari.

Elle tremblait si fort qu'il lui était difficile de se contrôler et de se tenir parfaitement immobile, mais son esprit n'avait pas cédé et elle se demandait s'il n'y avait pas un moyen de s'échapper.

Denis Arlen la maintenait toujours par le poignet, et son pistolet était toujours pointé en direction de la porte.

Que se passerait-il si elle se mettait soudain à hurler ? Les domestiques se précipiteraient et, dans l'affolement, elle pourrait peut-être tenter de fuir pour aller prévenir le duc ?

Puis elle se dit que si Denis Arlen avait des comparses à l'extérieur, comme il le lui avait assuré, elle ne pourrait aller bien loin. Ils l'enlèveraient et cette fois-ci, le duc ne serait pas là pour voler à son secours.

De toutes ses forces quoique en silence, elle l'appela à l'aide. C'était comme si son cœur et son âme s'envolaient vers lui pour l'avertir du danger qu'elle courait. Elle le suppliait de la secourir une fois encore, elle implorait son saint Georges de la débarrasser du dragon.

Pourquoi ne suis-je pas allée avec lui voir le roi ? se demanda-t-elle.

Elle aurait pu l'attendre sagement dans une antichambre, ou même dans le cabriolet, ainsi quand les fausses religieuses se seraient présentées pour la voir, elles n'auraient trouvé personne.

— Mes amis, nous sommes rassemblés ici, sous le regard de Dieu et face à la congrégation des fidèles..., marmonna le pasteur.

— Saute ce passage ! s'exclama durement Denis Arlen. Tu vois bien qu'il n'y a pas de fidèles ici, si ce n'est toi, imbécile !

L'homme se cabra sous l'insulte. Il voulut obéir, perdit sa page et se mit à feuilleter nerveusement son missel.

— Dépêchons ! Dépêchons ! lança Denis Arlen d'un ton brusque.

Si Félicia n'avait pas été morte de peur, elle se serait rendu compte qu'il était très nerveux, inquiet à l'idée que les choses pussent mal tourner au dernier moment.

Le pasteur finit par trouver le passage qu'il cherchait.

— Si l'un d'entre vous a connaissance d'un empêchement...

— Plus loin ! Plus loin ! ordonna Arlen. La seule chose qui importe, c'est le mariage proprement dit. Bon sang ! Tu dois connaître ton affaire. C'est ton métier, oui ou non ?

Il parlait si durement que Félicia vit le pasteur tressaillir une fois de plus. Elle se demanda quel moyen de pression Arlen avait sur cet homme, et supposa qu'il avait dû lui proposer de l'argent, beaucoup d'argent pour faire ce travail indigne d'un homme de Dieu.

L'idée que quelqu'un d'autre était, comme elle, sous l'emprise de la peur la libéra un peu de son angoisse et, dans un effort désespéré, elle essaya de se dégager et d'échapper aux griffes d'Arlen.

Il se tourna vers elle, furieux, et lui lança d'un ton hargneux :

— Tenez-vous tranquille ! Si vous essayez de nouveau de vous échapper, je vous préviens que, quoi qu'il arrive, mariage ou pas, je tue l'homme que vous aimez.

Il était fou de rage et Félicia recommença à ronger son frein. Il était bien homme à mettre ses menaces à exécution. Le cœur battant, elle cessa de bouger et les derniers mots de son bourreau finirent par filtrer jusqu'à son esprit engourdi.

« L'homme que vous aimez. »

Bien sûr ! Elle aimait le duc ! Pour quelle autre raison aurait-elle été prête à épouser cette brute ? Elle aimait le duc et voulait le sauver d'une mort certaine. Pour quelle autre raison la vie sans lui lui paraissait-elle d'une tristesse affreuse ?

Elle l'aimait et devait l'aimer depuis le jour où il l'avait sauvée de l'autorité abusive de son père. Depuis lors, elle n'avait cessé de penser à lui, mais ce qu'elle ne savait pas, c'est que le sentiment qu'elle éprouvait s'appelait l'amour. Elle le comprenait aujourd'hui seulement, et il était trop tard.

Elle revécut en pensée les moments merveilleux qu'ils avaient passés ensemble au cours de ces derniers jours : le déjeuner au Bois, leur conversation dans le jardin, le réconfort de ses bras quand il la tenait serrée contre lui dans le phaéton après qu'il l'eut arrachée à Arlen.

Parce qu'elle l'aimait, elle n'avait jamais eu peur de lui bien qu'il fût un homme.

Je l'aime ! Je l'aime !

Le cœur gonflé d'amour, elle lui adressa en pensée un second message.

— Sauvez-moi, sauvez-moi, mon amour... parce que je vous... aime... si vous ne venez pas à mon secours maintenant, il sera... trop tard pour que je puisse vous... l'avouer.

— Pour le meilleur et pour le pire, dans le bonheur comme dans l'adversité, je jure de vous aimer et de vous chérir jusqu'à ce que la mort nous sépare.

Denis Arlen répétait les mots que le pasteur lui

soufflait avec, dans la voix, de l'agressivité mêlée à une note de triomphe.

Il avait gagné !

Le pasteur se tourna vers Félicia. Ses yeux injectés de sang se fixèrent sur elle.

— Répétez après moi : moi, Félicia...

La voix lui manquait. Jamais, au grand jamais, elle ne pourrait prononcer ces mots. Le pasteur insista.

— Répétez après moi : moi, Félicia...

— Qu'attendez-vous ? Obéissez, bon sang ! hurla Arlen.

Il lui tordit le poignet à la faire crier. Ses ongles pénétrèrent dans sa chair. Elle ne put réprimer un cri de douleur et, au même moment, une voix s'éleva derrière eux et demanda avec colère :

— Que faites-vous ?

Denis Arlen lâcha la main de Félicia et se retourna d'un bond. La jeune fille poussa un cri terrifié.

— Attention ! Il veut vous tuer !

Tout en prononçant ces mots, elle vit Arlen pointer son pistolet en direction du duc. Elle savait qu'il n'hésiterait pas à tirer. Sans réfléchir davantage, elle s'agrippa à son bras et pesa de tout son poids pour tenter de faire dévier la trajectoire de la balle vers le sol.

— Vous ne le tuerez pas ! Je vous en empêcherai, cria-t-elle.

Il y eut une explosion assourdissante et Félicia crut que ses tympans allaient exploser. Arlen s'effondra avec un hurlement de douleur.

Le duc se précipita vers Félicia mais, avant

qu'il n'ait traversé la pièce, elle l'avait déjà rejoint. Elle se jeta contre lui, lui passa les bras autour du cou et l'embrassa fiévreusement sur la joue. Elle frissonnait et ses lèvres tremblaient.

— Il voulait... vous tuer ! Il voulait... vous tuer ! répétait-elle d'une voix hachée.

Le duc l'enlaça et la serra contre lui. Au même moment, la porte s'ouvrit et le maître d'hôtel fit irruption dans la pièce suivi d'une armée de laquais. Ils s'immobilisèrent à la vue de Denis Arlen gisant sur le sol, le visage déformé par la douleur. Du sang coulait de son pied, où la balle l'avait atteint.

— Vous m'avez sauvé, ma chérie ! dit doucement le duc à Félicia, et vous vous êtes sauvée par la même occasion !

Elle se nicha contre lui et il ne fit rien pour l'en empêcher. Sans bouger, trop heureux de la tenir embrassée, il donna ses ordres.

— Sortez cet homme d'ici. Transportez-le jusqu'à la voiture fermée qui l'attend sur la route, juste après les grilles, et dites à ses acolytes de le conduire à l'hôpital.

Tandis que les serviteurs s'empressaient de lui obéir, debout dans un coin, tout tremblant, tenant toujours à la main son missel, le pasteur cherchait à se disculper :

— Ce n'est pas ma faute. Arlen m'a obligé à l'assister ! Je n'ai rien fait de mal.

— Tout dépend du point de vue, répondit le duc. (Il se tourna vers le maître d'hôtel et enchaîna :) Conduisez cet individu au poste de police le plus proche. Vous n'aurez qu'à dire que vous l'avez surpris chez moi, déguisé en religieuse et s'apprêtant à me voler. Étant donné qu'il n'a pas eu le temps de mettre son plan à exécution, il ne sera pas condamné à l'emprisonnement et s'en tirera probablement avec une caution à verser. De toute façon, l'expérience lui servira de leçon.

Le maître d'hôtel sourit.

— Il n'a que ce qu'il mérite, monseigneur. Ça lui apprendra à se faire passer pour ce qu'il n'est pas !

Les laquais avaient emporté Denis Arlen hors de la pièce. Dans le hall, on l'entendait pester, jurer et crier de douleur et de rage. Puis, la distance aidant, ses hurlements s'espacèrent et s'évanouirent.

Le maître d'hôtel entraîna le pasteur hors du salon et referma la porte derrière eux. Le duc et Félicia se retrouvèrent enfin seuls.

Tenant toujours la jeune fille contre lui, il se pencha vers le petit visage levé vers lui et la contempla longuement, avant de dire d'un ton très calme :

— C'est fini maintenant. Vous n'avez plus rien à craindre de cette brute. S'il sort vivant de l'hôpital, Arlen ne pourra pas marcher avant longtemps !

— Il... il avait décidé de vous tuer... si je n'acceptais pas de... l'épouser, murmura Félicia.

— Cela vous contrariait donc tellement ?

Elle ouvrit de grands yeux, comme si elle ne pouvait croire qu'il pût sérieusement poser une telle question. Elle était très pâle mais ne pleurait pas, et il y avait dans son regard, quand il rencontra celui du duc, une expression qu'il n'y avait encore jamais vue.

— Vous m'avez sauvé de la mort, Félicia, et je voudrais vous en remercier. (Elle ne répondit pas et, d'une voix très douce, il reprit :) Vous m'avez embrassé tout à l'heure quand je suis arrivé, juste à temps semble-t-il, et maintenant, j'aimerais vous embrasser à mon tour.

Elle rougit et ses yeux se mirent à briller d'un éclat nouveau. Elle ne bougea ni ne protesta, et le duc se pencha lentement jusqu'à ses lèvres.

Elle tremblait toujours, mais sa bouche était douce et attirante sous la sienne. Il resserra son étreinte, veillant à ne pas l'effaroucher. Seul un effort surhumain lui permit de se contrôler. Il l'embrassa néanmoins avec ardeur.

Sous ses caresses, blottie dans ses bras, Félicia avait l'impression que le ciel s'entrouvrait et que Dieu l'enveloppait de sa lumière ineffable. Quant au duc, il découvrait soudain l'extraordinaire enchantement que peut procurer un baiser. Jamais auparavant il n'avait éprouvé un tel plaisir.

Il savait que ce qu'il ressentait pour Félicia était différent de tout ce qu'il avait ressenti avant de la connaître, mais, tandis qu'il lui donnait son premier baiser, il saisit toute la beauté, tout le merveilleux éblouissement de l'amour qui trouve sa source au plus profond de l'âme et non seulement du cœur.

Tandis qu'il la sentait céder sous ses caresses et répondre à ses baisers, il devina qu'elle goûtait la même impression de plénitude que lui, l'inexprimable sentiment de communion parfaite avec la nature tout entière, l'impression de toucher le ciel, de se fondre à l'univers et de tourner avec le soleil, la lune et les étoiles.

L'harmonie était si grande que le duc songea à toutes ses expériences passées comme au pâle reflet de ce qu'il éprouvait en ce moment.

Il connaissait enfin l'amour dans sa gloire. Il avait enfin trouvé l'autre moitié de lui-même, la femme idéale qu'il cherchait depuis toujours, et elle s'appelait Félicia.

Il l'embrassa encore et encore jusqu'à en perdre le souffle. Tous deux croyaient voir le monde danser autour d'eux. Alors seulement, il l'entraîna vers un divan.

Quand il lui prit le menton pour lever vers lui son petit visage, il fut comblé de la voir si belle. Elle rayonnait.

— Je vous aime ! s'exclama le duc. Dieu ! comme je vous aime... Je pensais que vous ne me laisseriez jamais vous l'avouer.

— Vous... vous m'aimez ?

La question résonna, mélodieuse comme le chant d'un oiseau.

— Jamais je ne saurais vous dire combien ! dit le duc. Mais, mon amour, je ne veux pas vous effrayer...

— Je n'ai pas peur, répondit Félicia. Pendant cette triste parodie de mariage, alors que cet horrible Arlen me broyait le poignet, j'ai compris que je n'avais jamais été effrayée auprès de vous parce que je... vous aimais.

— Mon amour ! Mon doux, mon tendre amour, murmura le duc. Je vous garderai, je vous protégerai et vous n'aurez plus jamais à redouter qui que ce soit.

Il l'attira de nouveau à lui et l'embrassa. Il ne pouvait se rassasier de sa présence. Quand il releva la tête, un peu plus tard, Félicia murmura :

— Je vous... aime ! Je vous aime... et je ne puis m'empêcher de le répéter encore et encore. J'ai envie de le crier au monde entier. Pourrez-vous jamais me pardonner de ne pas avoir compris avant aujourd'hui ce que j'éprouvais pour vous ?

— Je rends grâce au ciel que vous puissiez me l'avouer maintenant. Oh ! Mon amour ! Comment aurais-je pu deviner qu'une aventure aussi terrible pût vous arriver ici même, entre ces murs, tout de suite après mon départ ?

— Ils se sont présentés à votre porte quelques minutes à peine après que vous fûtes parti. Quelqu'un, parmi les serviteurs, a dû les renseigner.

— C'est aussi mon avis. Nul n'est parfait et il est parfois difficile de résister à la tentation d'un pot-de-vin, surtout s'il est alléchant ! En tout cas, poursuivit-il avec un petit rire, Denis Arlen sera dans l'impossibilité de soudoyer ou de menacer quiconque pendant un bon bout de temps. Grâce à votre courage, ma chérie, nous serons mariés bien avant qu'il ne puisse remarcher. (Il vit les yeux de Félicia s'agrandir de crainte et il se hâta d'ajouter :) Vous voulez bien devenir ma femme, n'est-ce pas ? Si vous refusez, je serai si malheureux que j'en mourrai.

— Vous voulez vraiment de... moi... pour épouse ?

— Si je devais vous expliquer à quel point je le désire, cela prendrait des années, des milliers d'années, si longtemps que j'aurais peur de vous ennuyer ! s'exclama le duc dans un rire.

Félicia éclata à son tour d'un rire léger qui illumina son visage et creusa ses joues d'irrésistibles fossettes.

— N'est-ce pas vous, plutôt, qui vous ennuyez facilement ?

— Tant que vous serez auprès de moi, je ne m'ennuierai jamais. Oh ! Mon cœur, nous avons tant de choses merveilleuses à faire ensemble ! Quand je n'osais encore vous avouer mon amour, je me consolais en vous imaginant auprès de moi, au château. Vous m'aidiez dans mes diverses tâches, vous m'inspiriez...

— Vous pensez vraiment que j'en suis capable ?

— Vous avez changé ma vie et, j'en suis sûr, vous allez changer aussi l'homme que je suis.

Félicia fit entendre un petit cri de protestation.

— Je ne veux pas que vous changiez ! Je vous veux tel que vous êtes ! Mon saint Georges ! Mon chevalier ! mon sauveur...

— Vous aussi, vous m'avez sauvé et il serait justice que je fasse de vous une sainte, répliqua le duc en souriant. A moins que vous ne soyez mon ange gardien, celui qui me guidera sur le droit chemin tout au long de mon existence.

Avec un petit soupir de bonheur, Félicia lui caressa la joue.

— Comment faites-vous pour trouver d'aussi jolies choses à me dire ? demanda-t-elle.

— Et j'en ai encore quantités d'autres à vous murmurer à l'oreille... Mais j'y pense, mon cœur, il faut que j'aille rendre visite à Sa Majesté, le roi Louis-Philippe. Verriez-vous un inconvénient à m'accompagner au palais ? (Il ajouta en souriant :) A partir de maintenant, j'ai bien l'intention de ne plus jamais vous perdre de vue. Vous viendrez avec moi partout où j'irai. J'ai trop peur qu'il ne vous arrive quelque chose en mon absence.

— Je... vous suivrai partout. (Elle lui adressa un radieux sourire, puis reprit :) Je viens de faire une étonnante expérience, savez-vous ?

— De quoi s'agit-il ? demanda le duc.

— Je me trompe peut-être, mais j'ai l'impression que je ne ressentirai plus jamais cette peur panique qui me saisissait à la vue d'un homme.

— Qu'est-ce qui vous fait dire cela ?

— Quand Arlen m'a menacée de son revolver, je n'ai pas eu peur pour moi. C'est à votre sort à vous que je pensais. Je n'étais plus paralysée par l'effroi ou l'angoisse, comme avant. C'est ce qui m'a permis de me jeter sur lui, d'empoigner son bras pour l'empêcher de vous tuer. Je crois que je suis guérie.

— Je le crois aussi, ma chérie, dit le duc d'une voix douce. Et c'est l'amour qui vous a guérie, l'amour que vous me portez. J'en suis si heureux que j'ai envie de me mettre à genoux pour remercier le ciel.

— Je suis sûre que je ne ressentirai plus jamais

cet horrible étau qui m'étreignait le cœur, qui m'empêchait de respirer et me pétrifiait sur place, insista Félicia.

Elle parlait d'une voix lointaine, comme si elle pensait tout haut. Elle parut tout à coup revenir sur terre et ajouta très vite :

— Mais je serais épouvantée... réellement, si vous deviez un jour cesser de... m'aimer.

— N'y pensez pas. Cela n'arrivera jamais. Nous nous aimerons toujours. Je vous aime si fort et si profondément que je suis incapable d'exprimer par des mots ce que je ressens. C'est merveilleux. Je n'ai jamais été aussi heureux !

— J'éprouve la même chose que vous, dit doucement Félicia. Une grande joie, une légèreté inexprimable.

Il l'embrassa, puis se leva et l'aida à en faire autant.

— Vite, mon ange, allez mettre votre plus jolie capeline.

— Dois-je me changer ?

Il secoua la tête.

— Vous êtes ravissante comme vous êtes. Et puis, je ne tiens pas à ce que vous éblouissiez le roi. Je suis très jaloux.

Elle lui jeta un coup d'œil malicieux à travers ses cils à demi baissés.

— Et moi alors ? Comment ne serais-je pas jalouse en pensant à toutes ces jolies dames qui, un peu partout dans le monde, attendent « le fringant Darlington » ?

— Figurez-vous que je songeais justement à cela en descendant les Champs-Elysées tout à l'heure. Je me disais que c'en était fini du « fringant Darlington ». Je vais me ranger, devenir solennel et ennuyeux. Et vous me trouverez si sérieux que vous finirez par me quitter pour quelqu'un de plus amusant.

— Il n'existe personne au monde de plus merveilleux ni de plus passionnant que vous ! s'exclama Félicia avec enthousiasme en se rapprochant du duc. Peu importe comment on vous appelle, vous êtes l'homme de ma vie, le seul, l'unique. Celui que j'aime.

Incapable de résister plus longtemps à ces grands yeux fixés sur lui avec adoration, à ces lèvres roses si tentantes, il se pencha vers elle et lui vola un baiser, grisé par sa déclaration, heureux comme il ne l'avait jamais été.

— Si vous continuez à dire des choses pareilles, le roi nous attendra en vain. Vite, vite ! Dépêchez-vous de monter à votre chambre avant que je ne vous reprenne dans mes bras.

Une fois seul, le duc respira profondément et se demanda s'il n'avait pas rêvé les événements qui venaient de se dérouler.

Comment aurait-il pu craindre un instant que Félicia risquât quelque chose sous son propre toit, entourée de ses domestiques ? Comment imaginer qu'elle allait lui sauver la vie dans des circonstances dramatiques et que, grâce à cela justement, elle serait guérie de ses peurs et de ses angoisses ?

En voulant lui sauver la vie, poussée par l'amour, Félicia avait dépassé et vaincu sa propre frayeur. Elle avait osé bousculer Arlen et s'était rendu compte qu'il n'était pas tout-puissant, qu'elle avait, elle aussi, son mot à dire, qu'elle pouvait, comme tout le monde, prendre son destin en main et influer sur son cours.

Il se passera sans doute encore du temps avant qu'elle ne puisse avoir des relations détendues avec les hommes, songea le duc, mais son obsession, la terreur qui la saisissait dès qu'elle se trouvait en présence de l'un d'eux, a disparu. Et parce qu'elle m'aime et qu'elle souhaite me plaire en toutes choses, je sais qu'elle s'efforcera de suivre mes conseils.

Il s'approcha de la fenêtre et, tout en regardant les jeux de l'ombre et de la lumière sur la pelouse, il se dit que son ami Hubert avait raison : il avait beaucoup de chance.

Mieux, il était béni des dieux. Il avait trouvé ce qu'il cherchait depuis si longtemps : la femme de sa vie, douce, pure, innocente et limpide, l'autre moitié de lui-même, celle qui serait non seulement une parfaite épouse, mais aussi une mère parfaite pour ses enfants. Une prière de gratitude envers le ciel lui monta aux lèvres.

La porte s'ouvrit et Félicia fut devant lui, ravissante, sous une capeline de paille claire ornée de fleurs et de rubans assortis à ses yeux. Elle demeura immobile à le regarder pendant un instant, puis avec un petit cri courut vers lui.

— Je ne rêve pas ! C'est vrai, c'est bien vrai que vous... m'aimez et que je vais devenir... votre femme ?

— C'est vrai, dit doucement le duc.

— Vous êtes si beau, si célèbre, que j'ai du mal

à croire que parmi toutes ces femmes qui sont amoureuses de vous, c'est moi que vous avez choisie.

— J'ai connu en effet beaucoup de femmes dans ma vie, mais jusqu'à ce que je vous rencontre, j'allais de déception en déception.

— Vous ne savez rien de moi ou presque. Dans peu de temps, vous découvrirez peut-être que...

— Je vous connais depuis le commencement du monde, coupa le duc, et nous resterons ensemble jusqu'à la fin des temps. Nous nous appartenons depuis toujours et pour toujours. Voilà pourquoi vous ne pourrez jamais me décevoir, et pourquoi j'espère que je ne vous décevrai jamais.

— Comment serait-ce possible ?

Elle lui livra son regard d'un bleu intense dans lequel il lut tout l'amour dont son cœur débordait. Il lui prit les mains et les porta à ses lèvres.

— Vous êtes la perfection faite femme, murmura-t-il tendrement en retournant les petites mains et en baisant ses paumes si douces.

Elle frissonna de plaisir. Il sourit, satisfait de faire naître en elle des sensations qu'elle n'avait jamais éprouvées auparavant.

— J'ai tant de choses à vous apprendre, mon ange ! dit-il tout bas. Venez, nous devons partir.

Plus tard dans la soirée, après le dîner pendant lequel ils avaient abondamment parlé du voyage du lendemain, ils s'installèrent au salon.

— Nous avons échafaudé de nombreux plans, mon cœur, mais vous ne m'avez toujours pas dit quand vous alliez m'épouser, demanda le duc, un verre à la main.

Félicia qui était assise en face de lui, dans un fauteuil, vint s'agenouiller sur le tapis, à ses pieds. L'étoffe soyeuse de sa jupe s'arrondit autour d'elle et sa ravissante silhouette se découpa sur le splendide bouquet de fleurs posé devant la cheminée.

— Vous connaissez déjà la réponse à cette question, répondit-elle.

— Quelle est-elle ? insista le duc.

— Je vous épouserai quand vous le désirerez. Demain, après-demain, ou ce soir si vous préférez.

Le duc éclata de rire.

— J'ai peur que ce ne soit un peu difficile pour ce soir, mais si vous êtes d'accord, nous pourrions nous marier dès notre retour en Angleterre.

Félicia pressa sa joue contre le genou du duc dans un geste confiant qui l'émut.

— J'ai l'impression de rêver, murmura-t-elle.

— Si vous rêvez, je rêve aussi, répliqua le duc. Plutôt qu'un grand mariage à Londres, nous pourrions faire une cérémonie intime dans la chapelle du château. Qu'en pensez-vous ?

— Je pense que je préférerais cent fois cette solution moi aussi.

— Nous avons les mêmes goûts, les mêmes pensées. A l'avenir, je vous apprendrai à éprouver aussi les mêmes sensations que moi.

— Je croyais déjà les ressentir.

— J'ai encore beaucoup de choses à vous faire découvrir en amour.

— Je ne demande pas mieux, mais mon corps

est déjà tout entier empli d'amour. Je vous aime de toutes les fibres de mon être, de tout mon cœur.

Le duc se débarrassa de son verre et se pencha pour la prendre dans ses bras.

— Je vous adore, mon ange ! Je vais m'arranger pour que nous puissions nous marier dès que nous arriverons au château. Je refuse d'attendre une minute de plus que nécessaire !

— Et ma robe ? protesta Félicia. Il faut attendre ma robe !

— Quand je l'ai commandée, cet après-midi, expliqua le duc, j'ai précisé que si elle n'était pas terminée dans les vingt-quatre heures de façon à ce qu'un courrier puisse nous l'apporter au plus vite, je ne paierais pas.

— C'est du chantage !

— Pas du tout, c'est une incitation à travailler mieux et plus vite, pour davantage d'argent. J'ai promis de les payer double s'ils respectaient les délais.

— Vous obtenez toujours ce que vous voulez, dit Félicia dans un rire.

— Toujours ! Je suis un gagnant. Il n'y a qu'une période, dans ma vie, où j'ai eu peur de perdre, c'est quand je pensais que je ne parviendrais jamais à me faire aimer de vous.

— Comment ai-je pu être si naïve ? Je n'ai pas compris plus tôt que... je vous aimais ! Or je vous aimais déjà au couvent. Pendant cinq ans, votre pensée ne m'a pas quittée. Vous étiez avec moi jour et nuit.

— J'aimerais pouvoir dire la même chose !

Mais, j'avoue qu'après son départ, j'ai complètement oublié la petite fille aux yeux gonflés de larmes que j'avais arrachée à son dragon de père.

— C'est à ce moment-là que je suis tombée amoureuse de saint Georges, dit Félicia dans un chuchotement. (Les lèvres du duc effleurèrent sa joue.) A quoi pensez-vous ? demanda la jeune fille.

— Je pense que je vous aime. Je réfléchissais aussi à notre mariage, à la façon dont nous allions l'organiser.

— Je ne souhaite qu'une chose : être avec vous, toujours.

— Nous inviterons tout le personnel du château et, si vous n'y voyez pas d'inconvénient, je crois que nous devrions demander à Mr Ramsgill de vous conduire à l'autel. C'est lui qui a trouvé le couvent, c'est lui qui m'a conseillé d'aller rendre visite à la mère supérieure quand Denis Arlen a commencé à faire des siennes.

— Non seulement je n'y vois pas d'inconvénient, mais j'en serais très heureuse, approuva Félicia. Et vous ? Qui sera votre témoin ?

— Hubert Brougham, un de mes meilleurs amis à qui je dois d'ailleurs beaucoup d'argent. (Devant l'air étonné et curieux de Félicia, il expliqua :) Il a parié que je tomberais amoureux et j'étais persuadé que cela ne m'arriverait jamais.

— Sera-t-il content d'apprendre qu'il a gagné son pari ?

— Très ! J'ai beaucoup d'amitié pour lui et j'espère que vous l'aimerez.

— J'en suis sûre.

Il la serra fort contre lui.

— Un jour, mon ange, nous aurons des enfants et nous leur apprendrons que l'amour est ce qu'il y a de plus important dans la vie. Plus important que le rang, la fortune ou la réussite.

— Nous les aimerons et ils nous aimeront, chuchota Félicia. Je voudrais avoir un fils aussi... beau et... merveilleux que vous.

— Attention ! Si vous aimez nos enfants plus que moi, je serai jaloux.

— Vous savez bien que je vous aimerai toujours plus que tout au monde.

Emu par tant de ferveur, le duc ne put résister à la tentation de reprendre ses lèvres si près des siennes. Il la serra plus étroitement contre lui et ses baisers se firent plus exigeants.

Peu à peu, sous ses caresses, elle s'abandonna tout entière et s'éveilla au désir. Le feu dont il brûlait l'embrasa elle aussi. Le duc en ressentit une joie si intense, un bonheur si parfait et si pur, qu'il ne put s'empêcher de penser que Félicia était une magicienne ou mieux, une déesse.

— Je t'adore, murmura-t-il tout contre son oreille.

— Moi aussi, je... t'adore. Auprès de toi, je n'aurai plus jamais... peur !

18.01.93

Composition Gresse B-Embourg
Achevé d'imprimer en Europe (France)
par Brodard et Taupin à la Flèche (Sarthe)
le 20 octobre 1992. 1575G-5
Dépôt légal octobre 1992. ISBN 2-277-23325-0

Éditions J'ai lu
27, rue Cassette, 75006 Paris
Diffusion France et étranger : Flammarion